Guided Practice Activities

Teacher's Guide Answer Key

Boston, Massachusetts
Upper Saddle River, New Jersey

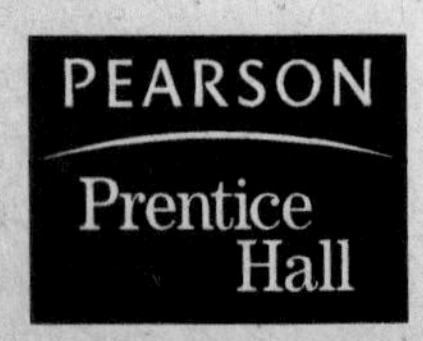

ISBN 0-13-166150-7

2 3 4 5 6 7 8 9 10 10 09 08 07

Table of Contents

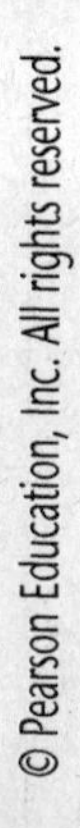

Realidades 3 | Nombre ______ Hora ______

Para empezar | Fecha ______

Vocabulary Flash Cards, Sheet 1

Copy the word or phrase in the space provided.

comer *comer*	**ir de compras** *ir de* *compras*	**llegar** *llegar*
estudiar *estudiar*	**hacer la tarea** *hacer* *la* *tarea*	**navegar en la Red** *navegar* *en la* *Red*
ver la tele *ver* *la* *tele*	**hablar por teléfono** *hablar* *por* *teléfono*	**ir a la escuela** *ir a* *la* *escuela*

Realidades 3 | Nombre ______ Hora ______

Para empezar | Fecha ______

Vocabulary Flash Cards, Sheet 2

Copy the word or phrase in the space provided.

inolvidable *inolvidable*	**bello, bella** *bello*, *bella*	**talentoso, talentosa** *talentoso*, *talentosa*
una película policíaca *una* *película* *policíaca*	**un drama** *un* *drama*	**una película romántica** *una* *película* *romántica*
típico, típica *típico*, *típica*	**divertido, divertida** *divertido*, *divertida*	**emocionante** *emocionante*

Realidades 3 — Para empezar

Nombre ______ Hora ______

Fecha ______

Vocabulary Check, Sheet 1

Tear out this page. Write the English words on the lines. Fold the paper along the dotted line to see the correct answers so you can check your work.

comer	***to eat***
estudiar	***to study***
hablar por teléfono	***to talk on the phone***
hacer la tarea	***to do homework***
ir de compras	***to go shopping***
llegar	***to arrive***
navegar en la Red	***to surf the Web***
practicar deportes	***to play sports***
tener una cita	***to have a date***
ver la tele	***to watch TV***
típico, típica	***typical***
divertido, divertida	***fun***
emocionante	***touching***
exagerado, exagerada	***exaggerated***
inolvidable	***unforgettable***
un drama	***a drama***
una película de horror	***a horror movie***
una película policíaca	***a police movie***
una película romántica	***a romance (movie)***

Fold In ←

Realidades 3 — Para empezar

Nombre ______ Hora ______

Fecha ______

Vocabulary Check, Sheet 2

Tear out this page. Write the Spanish words on the lines. Fold the paper along the dotted line to see the correct answers so you can check your work.

to eat	***comer***
to study	***estudiar***
to talk on the phone	***hablar por teléfono***
to do homework	***hacer la tarea***
to go shopping	***ir de compras***
to arrive	***llegar***
to surf the Web	***navegar en la Red***
to play sports	***practicar deportes***
to have a date	***tener una cita***
to watch TV	***ver la tele***
typical	***típico, típica***
fun	***divertido, divertida***
touching	***emocionante***
exaggerated	***exagerado, exagerada***
unforgettable	***inolvidable***
a drama	***un drama***
a horror movie	***una película de horror***
a police movie	***una película policíaca***
a romance (movie)	***una película romántica***

Fold In ←

Realidades 3 | Nombre ______ Hora ______

Para empezar | Fecha ______ **Guided Practice Activities, Sheet 1**

Verbos irregulares (p. 3)

- Remember that some verbs in Spanish have irregular **yo** forms. Look at the following list of common verbs that are irregular in the **yo** form only—the other forms of these verbs follow the regular conjugation rules.

  dar: **doy** | poner: pon**go** | saber: **sé**
  salir: sal**go** | caer: cai**go** | conocer: cono**zco**
  traer: trai**go** | hacer: ha**go** | ver: **veo**

- Other verbs you have learned with irregular **yo** forms include **obedecer, ofrecer,** and **parecer,** which are conjugated like **conocer.**

A. Answer each question by writing the irregular **yo** form of the verb given.

Modelo: ¿Sabes esquiar? Sí, (yo) ___*sé*___ esquiar muy bien.

1. ¿Haces la tarea siempre? Sí, ___***hago***___ la tarea todos los días.
2. ¿Dónde pones tus libros? ___***Pongo***___ mis libros en mi mochila.
3. ¿Le das la tarea a la maestra? Sí, le ___***doy***___ la tarea siempre.
4. ¿Traes tu libro de texto a casa? Sí, ___***traigo***___ mi libro a casa para estudiar.
5. ¿Ves la foto de José y María? Sí, ___***veo***___ la foto. Es muy bonita.
6. ¿Obedeces a tus padres? Sí, siempre ___***obedezco***___ a mis padres.
7. ¿Conoces a alguna persona famosa? Sí, (yo) ___***conozco***___ a Enrique Iglesias.

- Other verbs are irregular not only in the **yo** form but in all the forms. Look at the following list of important verbs that are irregular in all forms of the present tense.

ser		ir		decir	
soy	somos	voy	vamos	digo	decimos
eres	sois	vas	vais	dices	decís
es	son	va	van	dice	dicen

estar		oír		tener		venir	
estoy	estamos	oigo	oímos	tengo	tenemos	vengo	venimos
estás	estáis	oyes	oís	tienes	tenéis	vienes	venís
está	están	oye	oyen	tiene	tienen	viene	vienen

Realidades 3 | Nombre ______ Hora ______

Para empezar | Fecha ______ **Guided Practice Activities, Sheet 2**

Verbos irregulares (*continued*)

B. Complete the following sentences with the correct forms of the verbs in parentheses. Follow the model.

Modelo: (salir) María ___*sale*___ a las 7.30 pero yo ___*salgo*___ a las 8.

1. (ir) Yo ___***voy***___ a mi casa después de mis clases pero mis amigos ___***van***___ al gimnasio.
2. (tener) Mi padre ___***tiene***___ cuarenta y cinco años, pero yo ___***tengo***___ diecisiete.
3. (saber) Nosotros ___***sabemos***___ que hay un examen mañana, pero yo no ___***sé***___ si va a ser difícil.
4. (decir) José ___***dice***___ que la clase de química es aburrida, pero yo ___***digo***___ que es muy interesante.
5. (traer) Yo ___***traigo***___ mis libros de texto a casa cada noche, pero mi mamá ___***trae***___ muchos papeles de su trabajo.

C. Write complete sentences to describe what happens in a Spanish class. Follow the model.

Modelo Los estudiantes / tener / un examen / el viernes

Los estudiantes tienen un examen el viernes.

1. Yo / saber / todas las respuestas del examen

   Yo sé todas las respuestas del examen.
2. Javier / ser / un estudiante muy serio

   Javier es un estudiante muy serio.
3. Nosotros / salir / de la clase / a las once

   Nosotros salimos de la clase a las once.
4. Yo / oír / una canción / en español

   Yo oigo una canción en español.
5. Ellas / conocer / a unos estudiantes de Puerto Rico

   Ellas conocen a unos estudiantes de Puerto Rico.

Presente de los verbos con cambio de raíz (p. 5)

- Remember that, in the present tense, stem-changing verbs have stem changes in all forms except the **nosotros/nosotras** and **vosotros/vosotras** forms.
- The types of stem changes are: O→UE, U→UE, E→IE, and E→I. Look at the chart below to see how **volver** (*ue*), **pensar** (*ie*), and **servir** (*i*) are conjugated. Their stem changes have been underlined:

volver		pensar		servir	
vuelvo	volvemos	pienso	pensamos	sirvo	servimos
vuelves	volvéis	piensas	pensáis	sirves	servís
vuelve	vuelven	piensa	piensan	sirve	sirven

- Here is a list of common verbs with each type of stem change:
  - **O→UE** poder, dormir, morir, volver, devolver, almorzar, recordar, encontrar, contar, costar, acostarse
  - **U→UE** jugar
  - **E→IE** perder, empezar, querer, preferir, pensar, divertirse, despertarse, sentirse, mentir, cerrar, comenzar, entender
  - **E→I** pedir, servir, repetir, reír, sonreír, seguir, vestirse

A. Complete the sentences about Santiago's activities using the verbs in parentheses. Follow the model.

Modelo (despertarse) Santiago *se despierta* muy temprano porque es un chico activo.

1. (querer) Santiago ***quiere*** leer el periódico antes de salir para la escuela.
2. (recordar) Santiago ***recuerda*** su tarea y sus libros cuando sale.
3. (comenzar) Santiago ***comienza*** su clase de francés a las ocho de la mañana.
4. (sentarse) Santiago ***se*** ***sienta*** cerca de la maestra para escuchar bien lo que ella dice.
5. (pedir) Santiago ***pide*** una ensalada y pollo.
6. (volver) Santiago ***vuelve*** a casa a las tres de la tarde.
7. (jugar) y ***juega*** un poco de fútbol con su hermano.

B. Ana is writing a letter to her pen pal. Look at the lines from her letter and underline the subject for each verb in the sentence. Then, complete the sentence with the correct forms of the verb given.

Modelo (preferir) Yo *prefiero* pasar tiempo con mi amiga Tere. Y tú, ¿con quién *prefieres* pasar tiempo?

1. (contar) Mis amigos y yo siempre ***contamos*** chistes. Y Uds., ¿***cuentan*** chistes?
2. (poder) Yo ***puedo*** hablar un poco de francés. Y tú, ¿***puedes*** hablar otras lenguas?
3. (almorzar) Los otros estudiantes y yo ***almorzamos*** en la cafetería. Y Uds., ¿***almuerzan*** en casa o en la escuela?
4. (reír) Mis amigos y yo ***reímos*** mucho cuando vemos películas cómicas. Y tú, ¿***ríes*** mucho cuando vas al cine?
5. (pensar) Yo ***pienso*** estudiar biología en la universidad. Y tú y tus amigos, ¿qué ***piensan*** estudiar?
6. (dormir) Mis hermanos y yo ***dormimos*** ocho horas todas las noches. Y tú, ¿***duermes*** más de ocho horas o menos?

C. Write complete sentences to describe what the people in the sentences do for activities. Follow the model.

Modelo Este fin de semana / mis amigos y yo / querer / jugar al vóleibol.
Este fin de semana, mis amigos y yo queremos jugar al vóleibol.

1. Nadia y Bárbara / siempre / perder / las llaves
   Nadia y Bárbara siempre pierden las llaves.
2. La cafetería de la escuela / servir / comida saludable
   La cafetería de la escuela sirve comida saludable.
3. Tú / poder / hablar ruso y jugar al ajedrez / ¿no?
   Tú puedes hablar ruso y jugar al ajedrez, ¿no?
4. La primera clase del día / empezar / a las ocho de la mañana
   La primera clase del día empieza a las ocho de la mañana.
5. Yo / no entender / la tarea de matemáticas
   Yo no entiendo la tarea de matemáticas.

Realidades 3 — Para empezar

Nombre ______ Hora ______

Fecha ______ **Guided Practice Activities, Sheet 5**

Los verbos reflexivos (p. 7)

- Remember that reflexive verbs are usually used to talk about things people do to or for themselves. Each verb has two parts: a reflexive pronoun and a conjugated verb form.

  Look at the example of the reflexive verb **despertarse**:

despertarse	
me despierto	**nos** despertamos
te despiertas	**os** despertáis
se despierta	**se** despiertan

- Notice that the reflexive pronoun ***se*** is used for both the **él/ella/Ud.** and **ellos/ellas/Uds.** forms.

A. Underline the reflexive pronoun in each of the following sentences.

Modelo Rafaela y Silvia se lavan el pelo por la mañana.

1. Yo me levanto a las nueve y media los sábados.
2. Mis amigos y yo nos ponemos las chaquetas cuando hace frío.
3. ¿Tú te cepillas los dientes después de almorzar?
4. Mi madre se viste con ropa elegante para la cena formal.
5. Los jugadores de béisbol van a acostarse temprano porque tienen un partido importante mañana.

B. Write the reflexive pronoun in each sentence to finish the descriptions of the Navarro household's daily preparations.

Modelo El Sr. Navarro *se* afeita antes de bañarse.

1. Laurena *se* ducha por media hora.
2. Ramón y Nomar *se* arreglan juntos.
3. Tú *te* cepillas los dientes dos veces cada día.
4. La Sra. Navarro *se* pinta las uñas por la noche.

Realidades 3 — Para empezar

Nombre ______ Hora ______

Fecha ______ **Guided Practice Activities, Sheet 6**

- When a conjugated verb is followed by an infinitive, in expressions such as **ir a** + infinitive or **pensar** + infinitive, the reflexive pronoun can come before the first verb or be attached at the end of the infinitive.

  Voy a cepillarme los dientes. *I am going to brush my teeth.*

  Me voy a cepillar los dientes. *I am going to brush my teeth.*

- In the above example, both ways of writing the sentence are correct and, as you can see, have the same meaning.

C. Complete each sentence using both ways to write the infinitive of the reflexive verbs in the box below. **¡Recuerda!** you will need to change the reflexive pronouns to fit the subject. Follow the model.

acostarse	lavarse	cepillarse	~~secarse~~	afeitarse	ponerse

Modelo Nosotras *nos* pensamos *secar* el pelo. / Nosotras pensamos *secarnos* el pelo.

1. Los niños *se* piensan *cepillar* los dientes. / Los niños piensan *cepillarse* los dientes.

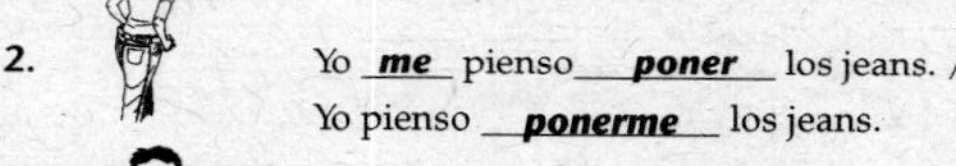

2. Yo *me* pienso *poner* los jeans. / Yo pienso *ponerme* los jeans.
3. Tú *te* piensas *afeitar* la cara. / Tú piensas *afeitarte* la cara.

4. Uds. *se* piensan *lavar* las manos. / Uds. piensan *lavarse* las manos.

5. Carla *se* piensa *acostar* por la noche. / Carla piensa *acostarse* por la noche.

Verbos que se conjugan como *gustar* (p. 11)

- Remember that the verb **gustar** is conjugated a bit differently from most other verbs in Spanish. In sentences with **gustar**, the subject of the sentence is the thing or things that are liked. In the present tense, we use **gusta** before the thing that is liked (singular noun or infinitive) and **gustan** before the things that are liked (plural noun). For example:

  Me gusta el vóleibol. *I like volleyball.*
  Me gustan los deportes. *I like sports.*

  To show *who* likes the thing or things mentioned you place an *indirect object pronoun* before the form of **gustar**:

me gusta(n)	*I like*	**nos** gusta(n)	*we like*
te gusta(n)	*you like*	**os** gusta(n)	*you all (informal) like*
le gusta(n)	*he/she/you (formal) likes*	**les** gusta(n)	*they/you all like*

A. Complete the following sentences with the correct indirect object pronoun.

Modelo A mis padres ___*les*___ gustan las notas buenas en la escuela.

1. A mí ___*me*___ gusta el fútbol americano.
2. A nosotros ___*nos*___ gustan las ciencias como la biología y la física.
3. A Manuel ___*le*___ gusta el chocolate; ¡es delicioso!
4. A ella ___*le*___ gusta la familia y por eso visita a su abuela con frecuencia.
5. ¿A ti ___*te*___ gustan los animales como los perros y los gatos?
6. A Uds. ___*les*___ gusta el programa nuevo en la televisión.

B. Now look back at the sentences in exercise A. Each verb ends in **-a** or **-an**. Draw a box around these endings. Then, circle the noun in the sentence that determines whether the verb is singular or plural.

Modelo A mis padres ___*les*___ gustan las notas buenas en la escuela.

Verbos que se conjugan como *gustar* (*continued*)

- There are several other verbs that work like **gustar**. Some important ones are:

  importar *to matter* **encantar** *to love* **interesar** *to interest*

  Al director le importan las reglas. *The rules are important to the principal.*
  A mí me encanta comer helado. *I love to eat ice cream.*
  A Jennifer le interesa la música. *Jennifer is interested in music.*

C. Find the subject in each of the following sentences and underline it. Then, use the subject you underlined to help you determine the correct form of the verb. Circle your choice. Follow the model.

Modelo A mí me (**encantan** / **encanta**) las telenovelas.

1. A Carolina Herrera le (**interesan** / **interesa**) la ropa.
2. A ti te (**importan** / **importa**) reunirse con amigos.
3. A Pablo le (**encantan** / **encanta**) las fiestas de verano.
4. A Uds. les (**importan** / **importa**) el béisbol.

D. Complete each sentence with the correct indirect object pronoun on the first line and the correct form of the verb in parentheses on the second line.

Modelo A ti ___*te*___ ___*encanta*___ (encantar) la música folklórica.

1. A nosotros ___*nos*___ ___*interesan*___ (interesar) los artículos del periódico.
2. A ellas ___*les*___ ___*importa*___ (importar) la política.
3. A mí ___*me*___ ___*gustan*___ (gustar) los refrescos de frutas.
4. A Joaquín ___*le*___ ___*interesa*___ (interesar) la historia europea.
5. A nosotras ___*nos*___ ___*encanta*___ (encantar) la nueva canción de Shakira.
6. A los estudiantes ___*les*___ ___*importan*___ (importar) las tareas para sus clases.
7. ¿A ti ___*te*___ ___*gusta*___ (gustar) la comida de la cafetería?
8. A mi hermano ___*le*___ ___*encantan*___ (encantar) los deportes.
9. A nosotros ___*nos*___ ___*interesa*___ (interesar) ir al cine.
10. A Uds. ___*les*___ ___*encanta*___ (encantar) hablar por teléfono.

Adjetivos posesivos (p. 12)

- Possessive adjectives describe an object by indicating who owns it. Remember that in Spanish, the possessive adjectives agree in number with the object being possessed, not with the person who owns it. For example:
  Mi clase de español es divertida. *My Spanish class is fun.*
  Mis clases de español son divertidas. *My Spanish classes are fun.*
- The following possessive adjectives are used in Spanish. Note that the **nosotros** and **vosotros** adjectives must also agree in gender (feminine or masculine) with the item possessed.

mi/mis *my*	**nuestro/nuestra/nuestros/nuestras** *our*
tu/tus *your(informal)*	**vuestro/vuestra/vuestros/vuestras** *your (group-informal)*
su/sus *his/her/your(formal)*	**su/sus** *their/your (group)*

A. In the following sentences a line is drawn under the item possessed to help you determine the correct possessive adjective. Circle one of the two options. Follow the model.

Modelo Quiero ir al partido de básquetbol con (**mi** / **(mis)**) amigos esta noche.

1. Consuelo necesita traer (**(su)** / **sus**) libro de texto a clase.
2. Nosotros vamos a (**nuestra** / **(nuestras)**) casas después de la escuela.
3. Enrique y Sara van a preparar (**(su)** / **sus**) cena ahora.
4. ¿Tú tienes (**(tu)** / **tus**) sombrero y (**tu** / **(tus)**) guantes?
5. Mi papá prefiere leer (**su** / **(sus)**) revistas en el sofá.
6. ¿Cuándo es (**(nuestro)** / **nuestros**) examen de español?
7. (**Mi** / **(Mis)**) clases comienzan a las ocho y media de la mañana.

B. Read each possessive statement below. Then, write the corresponding possessive adjective in the second sentence. Follow the model.

Modelo Es la mochila de Alicia. Es *su* mochila.

1. Son las tijeras de nosotros. Son ***nuestras*** tijeras.
2. Son los gatos de la Sra. Barbosa. Son ***sus*** gatos.
3. Es el televisor de Pilar. Es ***su*** televisor.
4. Son los libros de nosotras. Son ***nuestros*** libros.

C. Complete the following conversation between two people at a party with the correct possessive adjectives from the box. You will use each possessive adjective only once.

nuestros	mi	mis	tu	su	~~sus~~

Modelo **Teresa:** Las botas de Luisa son bonitas, ¿no?
Sonia: Sí, *sus* botas son muy elegantes.

Teresa: Esta fiesta es fantástica. La mamá de Raúl prepara unas comidas muy sabrosas, ¿no?

Sonia: Sí, me encanta ***su*** tortilla española. ¿Tus padres saben cocinar algo especial?

Teresa: Sí, ***mi*** padre sabe preparar unas enchiladas fenomenales, pero siempre tiene que preparar muchas porque tengo cinco hermanos y ***mis*** hermanos pueden comerse un millón de enchiladas.

Sonia: ¡***Tu*** familia es muy grande! Solo tengo una hermana. En nuestra casa, mi hermana y yo preparamos la comida los fines de semana y ***nuestros*** padres la preparan durante la semana. Es una buena costumbre.

D. You need to answer some questions from an exchange student at your school. In the first blank, fill in the appropriate possessive adjective. In the second blank, finish the sentence so that it is true for you.

Modelo ¿A qué hora empieza tu clase de español?
Mi clase de español empieza a *las dos*.

1. ¿Cuáles son tus clases favoritas? ***Answers will vary.***
   Mis clases favoritas son ***(ex. las matemáticas y el inglés)***.
2. ¿Cuál es el nombre de tu profesor(a) de español?
   Su nombre es ***(ex. Señor Ruiz)***.
3. Tú y tus amigos escuchan música interesante. ¿Cuál es su grupo favorito?
   Nuestro grupo favorito es ***(ex. U2)***.
4. ¿En qué ciudad vive tu familia?
   Mi familia vive en ***(ex. Chicago)***.
5. ¿Cuáles son las comidas favoritas de tu mejor amigo/a?
   Sus comidas favoritas son ***(ex. la pizza y las hamburguesas)***.
6. Tú y tus amigos hacen muchas actividades divertidas. ¿Cuál es su actividad favorita?
   Nuestra actividad favorita es ***(ex. ir al cine)***.

El pretérito de los verbos (p. 17)

- Remember that the preterite is used to talk about past events. To conjugate regular **-ar**, **-er**, and **-ir** verbs in the preterite, use the following endings:

cantar		beber		salir	
canté	cantamos	bebí	bebimos	salí	salimos
cantaste	cantasteis	bebiste	bebisteis	saliste	salisteis
cantó	cantaron	bebió	bebieron	salió	salieron

A. Complete the sentences about what students did last summer with the correct preterite endings of each **-ar** verb. Pay attention to the regular endings in the chart above and to the accent marks.

Modelo (nadar) Marcos y Raúl nad *aron* en el lago.

1. (caminar) Yo camin ***é*** por la playa.
2. (montar) Tú mont ***aste*** a caballo en las montañas.
3. (pasear) Mis primos pase ***aron*** en bicicleta.
4. (tomar) Nosotros tom ***amos*** el sol en la playa.
5. (usar) Esteban us ***ó*** la computadora.

B. Complete the sentences by writing the correct preterite form of each **-er** or **-ir** verb. Follow the model. Pay attention to the regular endings and accent marks in the chart above.

Modelo (aprender) Marta *aprendió* un poco de francés antes de ir a París.

1. (comer) Nosotros ***comimos*** helado de fresa.
2. (decidir) Ellos ***decidieron*** visitar Puerto Rico.
3. (correr) Yo ***corrí*** por el río con mi padre.
4. (escribir) Tú me ***escribiste*** una carta el mes pasado.
5. (abrir) Mamá ***abrió*** la ventana.

- Some verbs have irregular conjugations in the preterite. Three of them, **hacer, dar,** and **ver**, are conjugated below:

hacer		dar		ver	
hice	hicimos	di	dimos	vi	vimos
hiciste	hicisteis	diste	disteis	viste	visteis
hizo	hicieron	dio	dieron	vio	vieron

- Note that unlike the regular preterite conjugations, these conjugations do not have written accent marks.

C. Complete each sentence with the correct form of the irregular preterite verb. Remember that these verb forms do not use written accent marks.

Modelo (dar) Nosotros *dimos* una caminata por las montañas.

1. (ver) Yo ***vi*** unos animales exóticos en el bosque.
2. (hacer) Mis hermanos ***hicieron*** camping una noche.
3. (ver) ¿Tú ***viste*** unas flores bonitas?
4. (dar) Mi hermana y yo ***dimos*** un paseo por la playa.
5. (hacer) La familia ***hizo*** muchas cosas divertidas.

D. First, circle the verb. If it is regular in the preterite tense, write **R.** If it is irregular in the preterite tense, write **I.** Then, use the preterite to write complete sentences about activities people did in the past. Follow the model.

Modelo *I* Mis primos / (hacer) surf de vela / el verano pasado
Mis primos hicieron surf de vela el verano pasado.

1. ***R*** Yo / (montar) en bicicleta / el fin de semana pasado
Yo monté en bicicleta el fin de semana pasado.
2. ***I*** Nosotros / (dar) una caminata por el parque / anoche
Nosotros dimos una caminata por el parque anoche.
3. ***R*** Mis amigos / (comer) en un restaurante / el martes pasado
Mis amigos comieron en un restaurante el martes pasado.
4. ***I*** Tú / (ver) una película / hace dos semanas
Tú viste una película hace dos semanas.
5. ***I*** Mi mejor amigo y yo / (hacer) una parrillada / el mes pasado
Mi mejor amigo y yo hicimos una parrillada el mes pasado.

El pretérito de los verbos *ir* y *ser* (p. 19)

- The verbs **ir** and **ser** have the same conjugations in the preterite. You need to use context to determine whether the verb means *went* (**ir**) or *was/were* (**ser**). Look at the conjugations below:

ir		ser	
fui	fuimos	fui	fuimos
fuiste	fuisteis	fuiste	fuisteis
fue	fueron	fue	fueron

A. Determine whether **ir** or **ser** is used in the following sentences by indicating the meaning of the underlined preterite verb.

Modelo Nosotras fuimos a la biblioteca para estudiar.
☑ went (ir) ☐ were (ser)

1. La clase fue muy interesante.
☐ went (ir) ☑ was (ser)
2. Las jugadoras fueron al estadio para competir.
☑ went (ir) ☐ were (ser)
3. Los equipos de fútbol fueron excelentes.
☐ went (ir) ☑ were (ser)
4. Yo fui al parque ayer para montar en monopatín.
☑ went (ir) ☐ was (ser)

B. Read each sentence and decide if **ir** or **ser** is needed. Underline the correct infinitive. Then, write the correct preterite form in the blank.

Modelo (ir / ser) Pablo *fue* a la playa con sus amigos.

1. (ir / ser) Nosotros ***fuimos*** al gimnasio para hacer ejercicio.
2. (ir / ser) Los partidos de béisbol ***fueron*** muy divertidos.
3. (ir / ser) Yo ***fui*** al centro comercial el fin de semana pasado.
4. (ir / ser) Ellos ***fueron*** los estudiantes más serios de la clase.
5. (ir / ser) Benito se rompió el brazo. ***Fue*** un accidente terrible.
6. (ir / ser) ¿Adónde ***fuiste*** (tú) ayer?

El pretérito de los verbos que terminan in *-car, -gar* y *-zar* (p. 19)

- Remember that some verbs have spelling changes in the **yo** forms of the preterite to preserve the correct pronunciation. Look at the chart below to see how verbs that end in **-car**, **-gar**, and **-zar** change spelling in the preterite.
- Note that the other forms of the verb are conjugated normally:

tocar		llegar		empezar	
toqué	tocaste	llegué	llegamos	empecé	empezamos
tocaste	tocasteis	llegaste	llegasteis	empezaste	empezasteis
tocó	tocaron	llegó	llegaron	empezó	empezaron

C. First, look at the infinitives below and underline the ending (**-car**, **-gar**, or **-zar**) in each. Then, conjugate each verb in the preterite tense for the forms provided. Notice that the first column has the **yo** form. Remember that only the **yo** forms have a spelling change!

Modelo buscar — yo bus*qué* — él bus*có*

1. jugar — yo ju***gué*** — nosotros ju***gamos***
2. navegar — yo nave***gué*** — él nave***gó***
3. sacar — yo sa***qué*** — Uds. sa***caron***
4. almorzar — yo almor***cé*** — nosotros almor***zamos***
5. investigar — yo investi***gué*** — ella investi***gó***
6. cruzar — yo cru***cé*** — los niños cru***zaron***

D. Complete the following paragraph about Carmen's activities last week by conjugating the verbs in the preterite. The first one has been done for you.

La semana pasada, mis amigas, Julia y Cristina, y yo *fuimos* (ir) al gimnasio. Nosotras ***hicimos*** (hacer) mucho ejercicio. Yo ***corrí*** (correr) y mis amigas ***nadaron*** (nadar) en la piscina. Después yo ***practiqué*** (practicar) baloncesto y ellas ***dieron*** (dar) una caminata por un parque que está cerca del gimnasio. Yo ***llegué*** (llegar) a mi casa a las cinco y media y ***comencé*** (comenzar) a hacer mi tarea. Mi papá ***preparó*** (preparar) la cena y después mis padres ***vieron*** (ver) una película y yo ***jugué*** (jugar) unos videojuegos. Y tú, ¿qué ***hiciste*** (hacer)?

Realidades 3 Nombre ______ Hora ______

Capítulo 1 Fecha ______ **Vocabulary Flash Cards, Sheet 1**

Write the Spanish vocabulary word or phrase below each picture. Be sure to include the article for each noun.

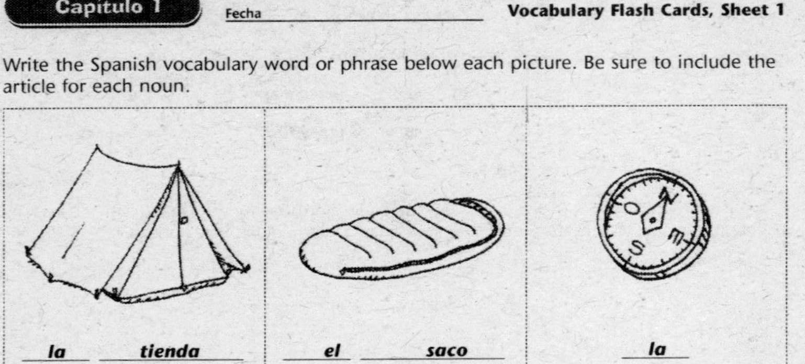

la tienda de acampar	***el saco de dormir***	***la brújula***
el repelente de insectos	***la linterna***	***los binoculares***
al anochecer	***escalar***	***refugiarse***

Realidades 3 Nombre ______ Hora ______

Capítulo 1 Fecha ______ **Vocabulary Flash Cards, Sheet 2**

Write the Spanish vocabulary word or phrase below each picture. Be sure to include the article for each noun.

la roca	***el paisaje***	***el relámpago***
el bosque	***la sierra***	***el desierto***
al amanecer	***el valle***	***perderse***

Realidades 3 | Nombre ________ Hora ________

Capítulo 1 | Fecha ________ **Vocabulary Flash Cards, Sheet 3**

Copy the word or phrase in the space provided. Be sure to include the article for each noun.

acercarse a *acercarse* *a*	**andar** *andar*	**aparecer** *aparecer*
así *así*	**asustar** *asustar*	**dar un paseo** *dar* *un* *paseo*
dejar de *dejar* *de*	**el granizo** *el* *granizo*	**hermoso, hermosa** *hermoso*, *hermosa*

Realidades 3 | Nombre ________ Hora ________

Capítulo 1 | Fecha ________ **Vocabulary Flash Cards, Sheet 4**

Copy the word or phrase in the space provided. Be sure to include the article for each noun. The blank cards can be used to write and practice other Spanish vocabulary for the chapter.

impresionar *impresionar*	**la naturaleza** *la* *naturaleza*	**pasarlo bien/mal** *pasarlo* *bien/mal*
refugiarse *refugiarse*	**el refugio** *el* *refugio*	**un rato** *un* *rato*
suceder *suceder*	**el trueno** *el* *trueno*	**una vez allí** *una* *vez* *allí*

Realidades 3 | Nombre ____ | Hora ____

Capítulo 1 | Fecha ____ | **Vocabulary Check, Sheet 1**

Tear out this page. Write the English words on the lines. Fold the paper along the dotted line to see the correct answers so you can check your work.

el bosque	***wood, forest***
el desierto	***desert***
hermoso, hermosa	***beautiful***
la naturaleza	***nature***
el paisaje	***landscape***
el refugio	***refuge, shelter***
la roca	***rock***
la sierra	***sierra, mountain range***
el valle	***valley***
acercarse (a)	***to approach***
andar	***to walk, to move***
asustar	***to scare***
dar un paseo	***to take a walk, to stroll***
dejar de	***to stop (doing something)***
escalar	***to climb (a rock or mountain)***
perderse	***to get lost***
refugiarse	***to take shelter***

Fold In ←

Realidades 3 | Nombre ____ | Hora ____

Capítulo 1 | Fecha ____ | **Vocabulary Check, Sheet 2**

Tear out this page. Write the Spanish words on the lines. Fold the paper along the dotted line to see the correct answers so you can check your work.

wood, forest	***el bosque***
desert	***el desierto***
beautiful	***hermoso, hermosa***
nature	***la naturaleza***
landscape	***el paisaje***
refuge, shelter	***el refugio***
rock	***la roca***
sierra, mountain range	***la sierra***
valley	***el valle***
to approach	***acercarse (a)***
to walk, to move	***andar***
to scare	***asustar***
to take a walk, to stroll	***dar un paseo***
to stop (doing something)	***dejar de***
to climb (a rock or mountain)	***escalar***
to get lost	***perderse***
to take shelter	***refugiarse***

Fold In ←

Nombre ____ Hora ____

Fecha ____ **Vocabulary Check, Sheet 3**

Tear out this page. Write the English words on the lines. Fold the paper along the dotted line to see the correct answers so you can check your work.

los binoculares	***binoculars***
la brújula	***compass***
la linterna	***flashlight***
el repelente de insectos	***insect repellent***
el saco de dormir	***sleeping bag***
la tienda de acampar	***tent***
caer granizo	***to hail***
el granizo	***hail***
el relámpago	***lightning***
el trueno	***thunder***
suceder	***to occur***
tener lugar	***to take place***
al amanecer	***at dawn***
al anochecer	***at dusk***

Fold In

Nombre ____ Hora ____

Fecha ____ **Vocabulary Check, Sheet 4**

Tear out this page. Write the Spanish words on the lines. Fold the paper along the dotted line to see the correct answers so you can check your work.

binoculars	***los binoculares***
compass	***la brújula***
flashlight	***la linterna***
insect repellent	***el repelente de insectos***
sleeping bag	***el saco de dormir***
tent	***la tienda de acampar***
to hail	***caer granizo***
hail	***el granizo***
lightning	***el relámpago***
thunder	***el trueno***
to occur	***suceder***
to take place	***tener lugar***
at dawn	***al amanecer***
at dusk	***al anochecer***

Fold In

El pretérito de los verbos con el cambio ortográfico i→y (p. 30)

- Remember that verbs ending in **-uir**, such as the verb **construir**, have a spelling change in the preterite. The **i** from the **él/ella/Ud.** and the **ellos/ellas/Uds.** forms becomes a **y**. Other verbs, such as **oír** and **creer**, also have this change. Look at the verbs **creer** and **construir** below as examples:

creer		construir	
creí	creímos	construí	construimos
creíste	creísteis	construiste	construisteis
creyó	creyeron	construyó	constru**yeron**

A. The events below took place in the past. Circle the correct preterite form to complete each sentence.

Modelo La semana pasada, Ernesto (**lee** / **leyó**) un libro sobre los bosques tropicales.

1. Recientemente unas tormentas violentas (**destruyeron** / **destruyen**) gran parte de un bosque.
2. ¿Tú (**oyes** / **oíste**) algo sobre ese evento desastroso?
3. Ernesto y sus amigos (**leyeron** / **leen**) algo sobre el paisaje hermoso del bosque.
4. Nosotros (**creímos** / **creemos**) que esa parte del mundo era interesante.
5. Rafael (**oyó** / **oye**) un anuncio sobre un viaje a los bosques de Chile.
6. Cuando nosotros fuimos al bosque, yo (**me caigo** / **me caí**) pero no me lastimé.

B. Complete the preterite verb forms by adding the correct endings.

Modelo (creer) Mari y Toni cre*yeron*

1. (destruir) el oso destru*yó*
2. (leer) yo le*í*
3. (creer) nosotros cre*ímos*
4. (oír) tú o*íste*
5. (caerse) ellos se ca*yeron*
6. (leer) mi madre le*yó*
7. (oír) el oso o*yó*
8. (caerse) nosotros nos ca*ímos*

El pretérito de los verbos con el cambio ortográfico i→y (*continued*)

C. Complete each sentence with the preterite forms of the verb in parentheses. Each sentence has two different forms of the same verb.

Modelo (destruir) El granizo *destruyó* las flores y los relámpagos *destruyeron* varios árboles.

1. (leer) Nosotros *leímos* el mismo mapa que ustedes *leyeron* cuando pasaron por aquí hace diez años.
2. (oír) Mis padres *oyeron* el trueno. Luego, yo lo *oí* también.
3. (caerse) Andrés *se* *cayó* cuando bajó del coche y sus amigos *se* *cayeron* cuando salieron de la tienda de acampar.
4. (construir) Ayer, yo *construí* un edificio de bloques para mi sobrino y después, él *construyó* su propio edificio de bloques.

D. Write complete sentences using the preterite of the indicated verbs. Follow the model.

Modelo Los vecinos / no / **oír** / nada / sobre el accidente
Los vecinos no oyeron nada sobre el accidente.

1. Ellos / **leer** / las instrucciones para usar la brújula
   Ellos leyeron las instrucciones para usar la brújula.
2. Tú / **creer** / que / la tormenta / fue muy peligrosa
   Tú creíste que la tormenta fue muy peligrosa.
3. Los relámpagos / **destruir** / los árboles del bosque
   Los relámpagos destruyeron los árboles del bosque.
4. Nosotros / **oír** / el sonido del granizo cayendo
   Nosotros oímos el sonido del granizo cayendo.
5. Yo / **leer** / una novela al anochecer
   Yo leí una novela al anochecer.

El pretérito de los verbos irregulares (p. 31)

- Several verbs have irregular stems in the preterite. Look at the chart below.

Verb	Stem	Verb	Stem
tener	tuv...	poner	pus...
estar	estuv...	saber	sup...
andar	anduv...	venir	vin...
poder	pud...		

- The irregular verbs share the same endings. The verbs **tener** and **saber** have been conjugated for you as examples.

tener		saber	
tuve	tuvimos	supe	supimos
tuviste	tuvisteis	supiste	supisteis
tuvo	tuvieron	supo	supieron

- Notice that none of these irregular forms has a written accent mark.
- The verbs **decir** and **traer** also have irregular stems and have different endings in the **ellos/ellas/Uds.** form. Look at the conjugations below:
  decir: dije, dijiste, dijo, dijimos, dijisteis, dij**eron;**
  traer: traje, trajiste, trajo, trajimos, trajisteis, traj**eron**

A. Underline the correct form of the irregular preterite verb in each sentence.

Modelo María (**dije / dijo**) que se perdió en el bosque.

1. Nosotros (**trajiste / trajimos**) los binoculares y la brújula.
2. Yo no (**pude / pudo**) encontrar mi saco de dormir.
3. Los muchachos (**anduvo / anduvieron**) por el bosque.
4. ¿Tú (**viniste / vino**) al bosque para hacer camping?

B. Complete Paco's story of his day with the correct irregular preterite **yo** form of each verb.

Modelo (poner) Yo *puse* mis libros y tarea en mi mochila.

1. (decir) Yo le ***dije*** "Buenos días" a mi maestra de español.
2. (tener) Yo ***tuve*** un examen de física.
3. (estar) Yo ***estuve*** en la escuela por 6 horas más.
4. (venir) Yo ***vine*** a mi casa a las cuatro y media.

C. A teacher asks her students about their weekend activities. Complete her questions with the **Uds.** form of the verb and the students' answers with the **nosotros** form. Follow the model.

Modelo (andar) Uds. *anduvieron* por el bosque, ¿no?
Sí, *anduvimos* por el bosque.

1. (poder) Uds. ***pudieron*** jugar unos deportes, ¿no?
   Sí, ***pudimos*** jugar al bésibol y al hockey.
2. (tener) Uds. ***tuvieron*** que limpiar sus cuartos, ¿no?
   Sí, ***tuvimos*** que limpiarlos.
3. (venir) Uds. ***vinieron*** a ver la obra de teatro estudiantil, ¿no?
   Sí, ***vinimos*** a verla.
4. (saber) Uds. ***supieron*** lo que le pasó a Jorge ayer, ¿no?
   Sí, lo ***supimos*** .
5. (decir) Uds. me ***dijeron*** todo lo que hicieron, ¿no?
   Sí, se le ***dijimos*** todo.

D. First, identify the pictures. Then, use the pictures and verbs in the preterite to create complete sentences about what people did in the past. Follow the model.

Modelo Mario / estar / ______ / por tres horas
Mario estuvo en la tienda de acampar por tres horas.

1. mis amigos y yo / poder ver / ______ / impresionante / anoche
   Mis amigos y yo pudimos ver el paisaje impresionante anoche.
2. Ana y Felipe / andar por / ______ / durante todo el día
   Ana y Felipe anduvieron por el bosque durante todo el día.
3. tú / poner / ______ / en la mochila
   Tú pusiste la brújula en la mochila.
4. Yo / traer / ______ / para ver el sendero
   Yo traje la linterna para ver el sendero.

El pretérito de los verbos con los cambios e→i, o→u en la raíz (p. 33)

- Stem changing **-ar** and **-er** verbs, such as **pensar**, have no stem changes in the preterite. However, **-ir** verbs that have a stem change in the present tense also have a stem change in the preterite.
- If the **-ir** verb has an **e→ie** or **e→i** stem change in the present tense, such as **servir**, in the preterite the **e** will change to an **i** in the **él/ella/Ud.** and **ellos/ellas/Uds.** forms.
- If the **-ir** verb has an **o→ue** stem change in the present tense, such as **dormir**, in the preterite the **o** will change to a **u** in the **él/ella/Ud.** and **ellos/ellas/Uds.** forms.

servir	(e→i)	dormir	(o→u)
serví	servimos	dormí	dormimos
serviste	servisteis	dormiste	dormisteis
sirvió	sirvieron	durmió	durmieron

A. The following sentences are all in either the **él/ella/Ud.** or **ellos/ellas/Uds.** form. Fill in the missing vowel to tell what happened on a recent camping trip. Follow the model.

Modelo (sentirse) Ana y Sofía se s_i_ntieron muy cansadas después de escalar las rocas.

1. (dormir) Francisco d_**u**_rmió todo el día en su saco de dormir.
2. (servir) El restaurante s_**i**_rvió hamburguesas y perros calientes.
3. (divertirse) Mis amigos se div_**i**_rtieron mucho en el viaje.
4. (morirse) Un animal se m_**u**_rió en el bosque. ¡Qué triste!

B. What Sara did last weekend was different from what her best friends did. Complete the sentences with the correct preterite forms of the verbs in parentheses. Be sure to include the stem change when describing what Sara's friends did. Follow the model.

Modelo (sugerir) Yo _sugerí_ un fin de semana tranquilo; mis amigas _sugirieron_ un viaje al bosque.

1. (preferir) Yo **_preferí_** ir al cine; mis amigas **_prefirieron_** ir a un café.
2. (dormir) Yo **_dormí_** en mi casa; mis amigas **_durmieron_** en un hotel.
3. (vestirse) Yo **_me_** **_vestí_** con jeans y una camiseta; mis amigas **_se_** **_vistieron_** con chaquetas, guantes, gorros y botas.
4. (pedir) Yo **_pedí_** pollo frito en un restaurante; mis amigos **_pidieron_** perros calientes preparados en la fogata.
5. (divertirse) Yo no **_me_** **_divertí_** mucho; mis amigas **_se_** **_divirtieron_** bastante.

C. Complete each sentence with the correct preterite verb form to tell what people did on a recent nature hike. Remember that only the **él/ella/Ud.** and **ellos/ellas/Uds.** forms have stem changes.

Modelo (vestirse) Tere _se_ _vistió_ con botas para andar por la montañas.

1. (dormir) Yo **_dormí_** varias horas la noche antes de salir.
2. (sugerir) Mis padres **_sugirieron_** un paseo en canoa.
3. (pedir) Mi hermano **_pidió_** usar los binoculares.
4. (sentirse) Nosotros **_nos_** **_sentimos_** muy cansados por la caminata.
5. (preferir) Tú **_preferiste_** usar la linterna para ver mejor.
6. (divertirse) Los chicos **_se_** **_divirtieron_** mucho cuando vieron unos animales pequeños.
7. (morirse) ¡Casi **_nos_** **_morimos_** de hambre cuando perdimos la comida para el almuerzo!

D. Write complete sentences by conjugating each stem-changing **-ir** verb in the preterite tense. Follow the model.

Modelo al anochecer / los niños / divertirse / jugando con las linternas
Al anochecer los niños se divirtieron jugando con las linternas.

1. los insectos / morir / al principio del invierno
Los insectos murieron al principio del invierno.
2. Ángel y Estela / vestirse / de ropa elegante / para salir anoche
Ángel y Estela se vistieron de ropa elegante para salir anoche.
3. el camarero / sugerir / la sopa del día
El camarero sugirió la sopa del día.
4. nosotros / dormir / por tres semanas en el saco de dormir
Dormimos por tres semanas en el saco de dormir.
5. yo / sentirse triste / después de ver la película
Yo me sentí triste después de ver la película.

Realidades 3 | Nombre ____ | Hora ____

Capítulo 1 | Fecha ____ | **Vocabulary Flash Cards, Sheet 5**

Write the Spanish vocabulary word or phrase below each picture. Be sure to include the article for each noun.

el *certificado*	*la* *medalla*	*el* *trofeo*
entrenarse	*perder* *el* *equilibrio*	*salir* *campéon*
animado, *animada*	*la* *carrera*	*desanimado*, *desanimada*

Realidades 3 | Nombre ____ | Hora ____

Capítulo 1 | Fecha ____ | **Vocabulary Flash Cards, Sheet 6**

Write the Spanish vocabulary word or phrase below each picture. If there is a word or phrase, copy it in the space provided. Be sure to include the article for each noun.

alcanzar *alcanzar*	**al principio** *al* *principio*	**la ceremonia** *la* *ceremonia*
darse cuenta de *darse* *cuenta* *de*	**desafortunadamente** *desafortunadamente*	**duro, dura** *duro*, *dura*
la *entrega* *de* *premios*	**contra** *contra*	**eliminar** *eliminar*

Nombre ____ Hora ____

Fecha ____ **Vocabulary Flash Cards, Sheet 7**

Copy the word or phrase in the space provided. Be sure to include the article for each noun.

emocionarse *emocionarse*	**el entrenamiento** *el* *entrenamiento*	**estar orgulloso, orgullosa de** *estar* *orgulloso*, *orgullosa* *de*
¡Felicitaciones! *¡Felicitaciones!*	**hacer un esfuerzo** *hacer* *un* *esfuerzo*	**hacia** *hacia*
inscribirse *inscribirse*	**la inscripción** *la* *inscripción*	**la meta** *la* *meta*

Nombre ____ Hora ____

Fecha ____ **Vocabulary Flash Cards, Sheet 8**

Copy the word or phrase in the space provided. Be sure to include the article for each noun. The blank cards can be used to write and practice other Spanish vocabulary for the chapter.

el/la participante *el/la* *participante*	**el/la representante** *el/la* *representante*	**obtener** *obtener*
sin embargo *sin* *embargo*	**tener lugar** *tener* *lugar*	**vencer** *vencer*
____	____	____

Realidades 3 | Nombre ______ Hora ______

Capítulo 1 | Fecha ______

Vocabulary Check, Sheet 5

Tear out this page. Write the English words on the lines. Fold the paper along the dotted line to see the correct answers so you can check your work.

el entrenamiento	***training***
entrenarse	***to train***
hacer un esfuerzo	***to make an effort***
inscribirse	***to register***
la inscripción	***registration***
alcanzar	***to reach***
la carrera	***race***
el certificado	***certificate, diploma***
contra	***against***
eliminar	***to eliminate***
la entrega de premios	***awards ceremony***
la medalla	***medal***
la meta	***goal***
obtener	***to obtain, get***
el/la participante	***participant***
el/la representante	***representative***

Fold In

Realidades 3 | Nombre ______ Hora ______

Capítulo 1 | Fecha ______

Vocabulary Check, Sheet 6

Tear out this page. Write the Spanish words on the lines. Fold the paper along the dotted line to see the correct answers so you can check your work.

training	***el entrenamiento***
to train	***entrenarse***
to make an effort	***hacer un esfuerzo***
to register	***inscribirse***
registration	***la inscripción***
to reach	***alcanzar***
race	***la carrera***
certificate, diploma	***el certificado***
against	***contra***
to eliminate	***eliminar***
awards ceremony	***la entrega de premios***
medal	***la medalla***
goal	***la meta***
to obtain, get	***obtener***
participant	***el/la participante***
representative	***el/la representante***

Fold In

Realidades 3 Nombre ______ Hora ______

Capítulo 1 Fecha ______ **Vocabulary Check, Sheet 7**

Tear out this page. Write the English words on the lines. Fold the paper along the dotted line to see the correct answers so you can check your work.

salir campeón (campeona)	***to become the champion***
el trofeo	***trophy***
vencer	***to beat***
animado, animada	***excited***
desafortunadamente	***unfortunately***
desanimado, desanimada	***discouraged***
duro, dura	***hard***
emocionarse	***to be moved***
estar orgulloso(a) de	***to be proud of***
impresionar	***to impress***
hacia	***toward***
perder el equilibrio	***to lose one's balance***
tener lugar	***to take place***
al principio	***at the beginning***

Fold In

Realidades 3 Nombre ______ Hora ______

Capítulo 1 Fecha ______ **Vocabulary Check, Sheet 8**

Tear out this page. Write the Spanish words on the lines. Fold the paper along the dotted line to see the correct answers so you can check your work.

to become the champion	***salir campeón (campeona)***
trophy	***el trofeo***
to beat	***vencer***
excited	***animado, animada***
unfortunately	***desafortunadamente***
discouraged	***desanimado desanimada***
hard	***duro, dura***
to be moved	***emocionarse***
to be proud of	***estar orgulloso(a) de***
to impress	***impresionar***
toward	***hacia***
to lose one's balance	***perder el equilibrio***
to take place	***tener lugar***
at the beginning	***al principio***

Fold In

El imperfecto (p. 42)

- The imperfect tense is used to talk about habitual or repeated events in the past. Look at the conjugations of regular **-ar**, **-er**, and **-ir** verbs in the imperfect tense:

montar		comer		salir	
montaba	montábamos	comía	comíamos	salía	salíamos
montabas	montabais	comías	comíais	salías	salíais
montaba	montaban	comía	comían	salía	salían

- Notice that the **yo** and **él/ella/Ud.** forms of each verb are the same.
- Notice that **-er** and **-ir** verbs have the same endings in the imperfect.

A. Write the imperfect endings of the **-ar** verbs in the first column, and the imperfect endings of the **-er** and **-ir** verbs in the second column.

Modelo ellos (cantar) cant *aban* (vivir) viv *ían*

1. yo (entrenar) entren ***aba*** (hacer) hac ***ía***
2. nosotros (andar) and ***ábamos*** (correr) corr ***íamos***
3. tú (caminar) camin ***abas*** (preferir) prefer ***ías***
4. él (jugar) jug ***aba*** (querer) quer ***ía***
5. Uds. (eliminar) elimin ***aban*** (obtener) obten ***ían***

- There are only three irregular verbs in the imperfect: **ser**, **ir**, and **ver**. Look at the conjugations of these verbs below:

ser		ir		ver	
era	éramos	iba	íbamos	veía	veíamos
eras	erais	ibas	ibais	veías	veíais
era	eran	iba	iban	veía	veían

B. Complete each sentence with the correct form of the verb in parentheses.

Modelo Marisol *era* (ser) una muchacha atlética.

1. Marisol y sus amigas ***iban*** (ir) al gimnasio para entrenarse todos los días.
2. Yo ***veía*** (ver) a Marisol y sus amigas en el gimnasio con frecuencia.
3. Nosotros ***éramos*** (ser) muy dedicadas y nuestra meta ***era*** (ser) participar en una carrera importante de la ciudad.
4. Mis padres siempre ***veían*** (ver) los partidos deportivos en la tele.

El imperfecto (*continued*)

C. A group of adults remembers their high school experiences. Complete each sentence with the correct imperfect verb form.

Modelo (ganar) Nuestros equipos siempre *ganaban* los campeonatos.

1. (estar) Los estudiantes de nuestra escuela siempre ***estaban*** muy animados por los partidos deportivos.
2. (entrenarse) Yo ***me entrenaba*** en el gimnasio todos los días.
3. (ir) Mi mamá ***iba*** a todos los partidos de béisbol porque le encantaba ese deporte.
4. (jugar) Tú ***jugabas*** al béisbol cada primavera, ¿no?
5. (hacer) Yo siempre ***hacía*** un gran esfuerzo para alcanzar mis metas.
6. (tener) Los partidos de fútbol americano ***tenían*** lugar cerca de la escuela.
7. (vencer) Nosotros siempre ***vencíamos*** a nuestros rivales.
8. (ser) Mi amigo Javier ***era*** el muchacho más atlético de nuestra escuela.

D. Write sentences describing your childhood memories by conjugating the verbs in the imperfect tense and completing the sentences with information that applies to you. Follow the model.

Modelo Mis amigos y yo / siempre querer ir a...
Mis amigos y yo siempre queríamos ir a la piscina.

1. Yo / vivir en...
Yo vivía en (Chicago, San Francisco, etc.).
2. Mi mejor amigo(a) / jugar...
Mi mejor amigo(a) jugaba (al béisbol, al ajedrez, etc.)
3. Mis amigos y yo / ver el programa...
Mis amigos y yo veíamos el programa (Sesame Street, Dora the Explorer, etc.)
4. Mis padres / siempre decir...
Mis padres siempre decían (¡Escucha!, ¡Ten cuidado!, etc.)

Usos del imperfecto (p. 44)

The imperfect is used:

- to describe events that happened regularly or habitually in the past
- to describe people and places in the past (for example: physical descriptions of what people or places looked like, or people's emotions)
- to describe past events that were ongoing or continuous (including things that "were happening" before being interrupted)
- to give the date, time, and someone's age in the past
- to talk about the weather in the past

A. Each sentence below provides a description in the past. Determine what is being described and write the corresponding letter next to the sentence. Then, underline the imperfect verb form in each sentence. Follow the model.

a. person, place **b. continuous action** **c. date, time, age, weather**

Modelo _c_ Eran las nueve y media de la noche.

1. _a_ Martín era alto, moreno y atlético.
2. _b_ Joaquín corría por las montañas.
3. _c_ Hacía mucho frío por la noche.
4. _c_ Los niños tenían cinco años.
5. _a_ La casa era roja y vieja.
6. _b_ La maestra enseñaba la lección.

B. Each statement below indicates what a situation was or how a person was when something happened. Based on the verbs in parentheses, write the correct imperfect verb form.

Modelo (Llover) _Llovía_ mucho cuando los atletas salieron del estadio.

1. (estar) Nosotros _estábamos_ en el gimnasio para ver la ceremonia de entrega de premios.
2. (Hacer) _Hacía_ mucho frío cuando caminé a la escuela.
3. (entrenarse) Carlos _se_ _entrenaba_ en el gimnasio cuando sus amigos llegaron.
4. (Ser) _Eran_ las nueve cuando empezó el concurso.
5. (tener) Nacho _tenía_ cinco años cuando empezó a jugar al fútbol.
6. (estar) Las chicas _estaban_ desanimadas porque perdieron el partido.

- As you have just learned, the imperfect is used to talk about habitual events and to give descriptions in the past. The preterite, in contrast, is used to talk about events that happened once, or events that happened at a specific time in the past. Look at the examples below:

I	Yo **me entrenaba** en el gimnasio todos los días.	*I trained in the gym every day (habitual).*
P	Yo **me entrené** en el gimnasio ayer.	*I trained in the gym yesterday (once).*
I	Yo **estaba** cansada porque eran las once de la noche.	*I was very tired (description) because it was 11pm (time in the past).*
P	Yo **fui** al gimnasio el martes pasado.	*I went to the gym last Tuesday (once).*

C. Look at the following statements and circle the verb. Write **H** if the action is habitual (imperfect) and **O** if the action occurred one time (preterite). Follow the model.

Modelo _O_ Yo (corrí) en la carrera ayer.

1. _O_ Nosotros (vencimos) al equipo de la escuela San Luis Obispo la semana pasada.
2. _O_ El verano pasado yo (participé) en una carrera muy dura.
3. _H_ Los estudiantes (practicaban) el vóleibol cada semana.
4. _H_ Los atletas (hacían) un esfuerzo increíble todos los días.

D. In the following sentences, a group of students remembers events that happened once (preterite) and how they felt or were when things took place (imperfect). Complete each sentence with the correct preterite or imperfect verb form.

Modelo Federico _estaba_ (estar) orgulloso porque su equipo de fútbol americano _ganó_ (ganar) el campeonato.

1. Nosotros _perdimos_ (perder) el partido porque no _éramos_ (ser) muy atléticos.
2. Los jugadores _se_ _sentían_ (sentirse) muy felices cuando _recibieron_ (recibir) el trofeo.
3. Todos los estudiantes _tenían_ (tener) mucho frío porque el partido de fútbol _tuvo_ (tener) lugar en noviembre.
4. Martina _obtuvo_ (obtener) un premio porque _tenía_ (tener) mucho talento.
5. Yo _participé_ (participar) en un campeonato de básquetbol cuando _tenía_ (tener) catorce años.
6. Nosotros _estábamos_ (estar) muy desanimados porque no _alcanzamos_ (alcanzar) nuestra meta.

Realidades 3 | Capítulo 1 | Nombre ______ Hora ______ | Fecha ______

Reading Activities, Sheet 1

Puente a la cultura: *(pp. 48-49)*

A. The reading talks about **peregrinos**, or "pilgrims" who travel for days, even weeks to get to their destination. Imagine that, like the **peregrinos**, you had to plan a trip that would involve at least three days of traveling. Answer the questions below about such a journey.

1. What would you take with you to be prepared for your journey?
   Possible answers: clothing items, survival gear, (such as a compass, a swiss army knife, rope, etc.) sunscreen, water, good pair of shoes
2. Explain why you would bring each of the items above.
   Answers will vary.
3. How might you feel at the end of your journey? ***Answers will vary.***

B. Read the following two passages from page 48 in your textbook. Look at the highlighted words and, using the sentence structure to guide you, decide whether the words are **personas** (people) or **lugares** (places). Mark your answer in the table below.

Hace más de mil años, en el extremo noroeste de España, se descubrió la ***tumba*** *del* ***apóstol*** *Santiago, una figura fundamental de la religión católica.*

A lo largo de la ***ruta*** *construyeron* ***iglesias*** *y* ***albergues*** *para recibir a los* ***peregrinos****.*

	personas	*lugares*
la tumba		*X*
el apóstol	*X*	
la ruta		*X*
las iglesias		*X*
los albergues		*X*
los peregrinos	*X*	

C. This article explains several possible reasons for visiting Santiago de Compostela. Put an **X** next to the reasons that are mentioned in the article.

1. ***X*** Puedes conocer a nuevas personas de todo el mundo.
2. ***X*** Puedes ver un sitio de importancia cultural e histórica.
3. ____ Puedes encontrar un buen trabajo allí.
4. ***X*** Puedes ver un lugar de importancia religiosa.
5. ____ Puedes comprar buena comida en los albergues.

Go Online WEB CODE jed-0110 PHSchool.com

Realidades 3 | Capítulo 1 | Nombre ______ Hora ______ | Fecha ______

Reading Activities, Sheet 2

Lectura (pp. 54–56)

A. Look at the title of the reading in your textbook. It contains two names in náhuatl (the language of the Aztecs). Based on this information, which subject do you think would best describe what the reading will be about?

a. modern Mexicans b. the Mexican landscape (c.) a Native Mexican legend

B. Now, look at the captions on page 55 of your textbook. Answer the questions below.

1. What do you think the words **príncipe** and **princesa** mean?
   Príncipe means "prince" and princesa means "princess."
2. What do you think is the relationship between the two people pictured?
   Answers will vary. Possible answers: they are siblings, they are friends, they are in love

C. This story focuses on a powerful king who seeks a suitable husband for his daughter, the princess. Read the following excerpt from the story. Circle the words or phrases that describe the characteristics the king is looking for.

Muchos príncipes ricos y famosos venían de todas partes de la región tolteca para ganar el amor de la princesa, pero (ella no se enamoraba) de ninguno. El rey, que quería para su hija (un esposo rico de buena posición) en la sociedad tolteca, ya estaba impaciente. A veces le preguntaba a la princesa (qué esperaba).

D. Now, read the excerpt that describes the different cultural backgorunds of the Chichimec prince and Toltec princess, who fall in love.

Los chichimecas no tenían una civilización tan espléndida como la de los toltecas. Vivían de la caza y la pesca en las montañas. Los toltecas pensaban que los chichimecas vivían como perros, y se reían de ellos.

Does the Chichimec prince fit the description of what the Toltec king is looking for? Why or why not?

No, the prince does not fit the description, because he is not rich or famous, and is not a Toltec.

E. The love that the prince and princess have for each other causes a series of events to take place. Put in order the following details of the story in your textbook.

_1_ La princesa tolteca y el príncipe chichimeca se casan.

_4_ La princesa tolteca y el príncipe chichimeca sólo comen hierbas y frutas.

_2_ La princesa tolteca es expulsada de Teotihuacán.

_5_ La princesa tolteca y el príncipe chichimeca se duermen para siempre.

_3_ El príncipe chichimeca es expulsado de su tribu.

F. This reading, like many legends, ends with what happened to the protagonists of the tale. Read the excerpt below and answer the questions that follow.

La princesa subió a la montaña Iztaccíhuatl y el príncipe subió la montaña Popocatépetl. Cuando la princesa llegó a la cumbre (summit) de su montaña, se durmió y la nieve la cubrió (covered). El príncipe se puso de rodillas, mirando hacia la princesa y la nieve también lo cubrió.

1. Does this story have a happy or tragic ending? ***Answers may vary.***
2. How does this resemble fairy tales that you are used to? How is this story similar or different?

   Answers will vary.

3. How does nature figure into the end of this tale? Is it a hostile environment or gentle? Explain.

   Answers will vary. Possible answer: Nature is very gentle at the end. The snow lightly "covers" their bodies after they die. The prince and princess become the mountains.

Concordancia y comparación de adjetivos (p. 63)

Remember that, in Spanish, adjectives must agree in gender (masculine or feminine) and number (singular or plural) with the nouns they describe. Look at the following rules for types of adjectives:

- For most adjectives, the masculine form ends in **-o** and the feminine form ends in **-a.**

  el hombre viejo *la mujer vieja*
- Adjectives that end in **-e** or in a consonant (such as **-s** or **-l**), as well as those that end in **-ista,** may be either masculine and feminine.

  *el palacio **real*** *la ciudad **real***
  *el hombre deport**ista*** *la mujer deport**ista***
- If the masculine form of an adjective ends in **-or,** add an **-a** at the end to make the feminine form.

  el hijo trabajador *la hija trabajadora*
- Remember that if you have a group of both masculine and feminine nouns, you will use the plural, masculine form of the adjective.

  el hombre y la mujer altos

A. Circle the correct form of the adjective given, depending on the gender and number of what is being described.

Modelo Prefiero el cuadro (**moderno** / **moderna**). [circled: moderno]

1. El arte de Picasso es muy (**interesante** / **interesantes**). [circled: interesante]
2. Salvador Dalí fue un artista (**surrealista** / **surrealistas**). [circled: surrealista]
3. La profesora de arte de nuestra escuela es muy (**trabajador** / **trabajadora**). [circled: trabajadora]
4. Las pinturas de Frida Kahlo son muy (**personal** / **personales**). [circled: personales]
5. Los colores de ese dibujo son muy (**vivas** / **vivos**). [circled: vivos]

B. Complete each sentence with the correct form of the adjective in parentheses. Some adjectives will not require changes!

Modelo (sencillo) Las flores de esa pintura de Picasso son *sencillas*.

1. (realista) Esos cuadros de Frida Kahlo no son muy ***realistas***.
2. (divertido) El museo del Prado en Madrid es un lugar muy ***divertido*** para visitar.
3. (exagerado) Las figuras de Botero tienen unas características ***exageradas***.
4. (oscuro) Los cuadros de Goya muchas veces son muy ***oscuros***.

Go Online WEB CODE jed-0201 PHSchool.com

- To compare two things that are the same, use **tan** + *adjective* + **como**.
  *Los cuadros de Picasso son **tan interesantes como** los cuadros de Dalí.*
- To compare two things that are different, use **más** / **menos** + *adjective* + **que**.
  *El retrato de Botero es **más cómico que** el retrato de Velázquez.*

Remember that the adjective must agree in gender and number with the noun it describes.

C. Use the signs provided to complete each of Juan's opinions using either **más...que**, **menos...que**, or **tan...como**. Then, circle the correct form of the adjective in parentheses based on the corresponding noun. Follow the model.

Modelo (+) Creo que el arte de Picasso es _más_ (**interesantes** / **(interesante)**) _que_ el arte de Velázquez.

1. (–) El color rosado es _menos_ (**(vivo)**/ **viva**) _que_ el color rojo.
2. (=) Creo que los museos son _tan_ (**divertido** / **(divertidos)**) _como_ los cines.
3. (+) Ese mural de Diego Rivera es _más_ (**(grande)**/ **grandes**) _que_ aquel retrato de Frida Kahlo.
4. (=) El pintor es _tan_ (**(trabajador)**/ **trabajadora**) _como_ la pintora.
5. (–) El papel y el plástico son _menos_ (**(caros)**/ **caro**) _que_ el oro y la plata.

- With the adjectives **bueno(a)**, **malo(a)**, **viejo(a)**and **joven**, you do not use the **más** or **menos** + *adjective* structure. Instead, use one of the following irregular comparative forms:

bueno(a)	**mejor (que)**	(*pl.* **mejores**)	*better (than)*
malo(a)	**peor (que)**	(*pl.* **peores**)	*worse (than)*
viejo(a)	**mayor (que)**	(*pl.* **mayores**)	*older (than)*
joven	**menor (que)**	(*pl.* **menores**)	*younger (than)*

D. Use the irregular comparative adjectives to create accurate comparisons.

Modelo Susana tiene 16 años y Martina tiene 18 años. Martina es _mayor_ que Susana.

1. Ana tiene 13 años y Luz tiene 17 años. Ana es _menor_ que Luz.
2. Pedro saca una "A" en la clase de inglés y Jorge saca una "C." La nota de Pedro es _mejor_ que la nota de Jorge.
3. Paco tiene 16 años y su abuelo tiene 83. El abuelo es _mayor_ que Paco.
4. Los cuadros de Carla no son muy buenos, pero los cuadros de Tomás son excelentes. Los cuadros de Carla son _peores_ que los cuadros de Tomás.

Comparación de sustantivos y el superlativo (p. 65)

- To make a comparison of quantity between two nouns that are equal in number, use **tanto (tanta/tantos/tantas)** + *noun* + **como**. Be sure to pay attention to gender and number agreement.
  *Hay **tantos** actores **como** actrices en la obra de teatro.*
- To make a comparison of quantity between two nouns that are not equal, use **más/menos** + *noun* + **que**.
  *Hay **más** actores **que** músicos en la obra de teatro.*
  *Hay **menos** personas en el teatro **que** anoche.*

A. Use **menos...que** or **más...que** to create logical sentences.

Modelo Hay tres actores y dos actrices. Hay _más_ actores _que_ actrices.

1. Hay dos directores y diez actores. Hay _menos_ directores _que_ actores.
2. Hay doce personas en el coro y veinte personas en la orquesta. Hay _más_ personas en la orquesta _que_ en el coro.
3. Este año se van a presentar veinticinco conciertos y diez obras de teatro en el Teatro Santiago. Se van a presentar _menos_ obras de teatro _que_ conciertos.
4. La actriz principal tiene mucho talento pero los otros actores no tienen mucho talento. Ellos tienen _menos_ talento _que_ la actriz principal.
5. En la ciudad hay cuatro cines y dos teatros. Hay _más_ cines _que_ teatros.

B. Use **tanto, tanta, tantos** or **tantas** to complete each sentence.

Modelo Hay dos guitarras y dos pianos en la orquesta. Hay _tantas_ guitarras como pianos.

1. La actriz principal tiene mucho talento y el actor principal tiene mucho talento. El actor tiene _tanto_ talento como la actriz.
2. Se presentan dos obras dramáticas y dos obras musicales en el teatro este fin de semana. Se presentan _tantas_ obras dramáticas como obras musicales.
3. Ayer asistieron doscientas personas a la obra y hoy asisten doscientas. Hoy hay _tanta_ gente como ayer.
4. Hay diez músicos y diez bailarines en la obra. Hay _tantos_ músicos como bailarines.
5. Hoy las entradas cuestan $15 y anoche las entradas costaron $15. Las entradas cuestan _tanto_ dinero hoy como ayer.

Realidades 3 Nombre ____ Hora ____

Capítulo 2 Fecha ____ **AVSR, Sheet 4**

Comparación de sustantivos y el superlativo (*continued*)

- To say something is the "most" or the "least," you use a structure called the superlative. To form the superlative, use **el/la/los/las** + **noun** + **más/menos** + *adjective*.
  Celia Cruz es ***la cantante más talentosa.***
  Creo que Roger Ebert es ***el crítico más inteligente.***
- To compare one thing within a large group, use **de** + the group or category.
  Marta es la más alta ***de*** *todas las actrices.*

C. Complete the following superlatives with the missing elements. Follow the model.

Modelo (+) La clase de español es la *más* divertida de mi escuela.

1. Andrés es el más alto ***de*** mi clase de español.
2. (+) El domingo es el día ***más*** tranquilo de la semana.
3. (+) Mariana tiene la voz ***más*** bella del coro.
4. (–) Ésa es la escena ***más*** emocionante del drama.
5. Las hermanas Cruz son las músicas más talentosas ***de*** la escuela.

- Use the adjectives **mejor(es)** and **peor(es)** + noun to express *best* and *worst*.
  Plácido Domingo es ***el mejor*** *cantante.*
  Esos son ***los peores*** *efectos especiales.*

D. Read the description of the following theater, art, and music students. Use the context of the sentence to decide whether to use **mejor** / **mejores** or **peor** / **peores**. Complete the sentences with your choice.

Modelo Maricarmen tiene una voz muy bonita. Es la *mejor* cantante del coro.

1. Ramón no puede bailar muy bien. Es el ***peor*** bailarín del grupo.
2. Sonia y Teresa actúan muy bien. Son las ***mejores*** actrices de su escuela.
3. El director de la obra es muy antipático y grita mucho. ¡Es el ***peor*** director del mundo!
4. Nuestra orquesta toca perfectamente. Es la ***mejor*** orquesta de la ciudad.
5. Los argumentos de estas dos obras son muy aburridos. Son los ***peores*** argumentos.

Go Online WEB CODE jed-0201 PHSchool.com

Realidades 3 Nombre ____ Hora ____

Capítulo 2 Fecha ____ **Vocabulary Flash Cards, Sheet 1**

Write the Spanish vocabulary word or phrase below each picture. Be sure to include the article for each noun.

Realidades 3 Capítulo 2

Nombre ______ Hora ______

Fecha ______ **Vocabulary Flash Cards, Sheet 2**

Write the Spanish vocabulary word below each picture. If there is a word or phrase, copy it in the space provided. Be sure to include the article for each noun.

la *cerámica*	*el* *escultor*	*la* *escultura*
las *obras* *de* *arte*	*el* *pincel*	*el* *retrato*
el *taller*	**a través de** — *a* *través* *de*	**abstracto, abstracta** — *abstracto*, *abstracta*

Realidades 3 Capítulo 2

Nombre ______ Hora ______

Fecha ______ **Vocabulary Flash Cards, Sheet 3**

Copy the word or phrase in the space provided. Be sure to include the article for each noun.

expresar(se) — *expresar(se)*	**la figura** — *la* *figura*	**la fuente de inspiración** — *la* *fuente* *de* *inspiración*
influir — *influir*	**inspirar** — *inspirar*	**representar** — *representar*
el sentimiento — *el* *sentimiento*	**el siglo** — *el* *siglo*	**volverse** — *volverse*

Realidades 3

Capítulo 2

Nombre ________ Hora ________

Fecha ________

Vocabulary Check, Sheet 1

Tear out this page. Write the English words on the lines. Fold the paper along the dotted line to see the correct answers so you can check your work.

abstracto, abstracta	***abstract***
a través de	***through***
el autorretrato	***self-portrait***
la cerámica	***pottery***
el escultor, la escultora	***sculptor***
la escultura	***sculpture***
expresar(se)	***to express (oneself)***
famoso, famosa	***famous***
la figura	***figure***
el fondo	***background***
la fuente de inspiración	***source of inspiration***
la imagen	***image***
influir (i→y)	***to influence***
inspirar	***to inspire***
mostrar(ue)	***to show***
el mural	***mural***

Fold In

Realidades 3

Capítulo 2

Nombre ________ Hora ________

Fecha ________

Vocabulary Check, Sheet 2

Tear out this page. Write the Spanish words on the lines. Fold the paper along the dotted line to see the correct answers so you can check your work.

abstract	***abstracto, abstracta***
through	***a través de***
self-portrait	***el autorretrato***
pottery	***la cerámica***
sculptor	***el escultor, la escultora***
sculpture	***la escultura***
to express (oneself)	***expresar(se)***
famous	***famoso, famosa***
figure	***la figura***
background	***el fondo***
source of inspiration	***la fuente de inspiración***
image	***la imagen***
to influence	***influir (i→y)***
to inspire	***inspirar***
to show	***mostrar(ue)***
mural	***el mural***

Fold In

Realidades 3 Nombre ____ Hora ____

Capítulo 2 Fecha ____

Vocabulary Check, Sheet 3

Tear out this page. Write the English words on the lines. Fold the paper along the dotted line to see the correct answers so you can check your work.

la naturaleza muerta	***still life***
la obra de arte	***work of art***
la paleta	***palette***
parado, parada	***standing***
el pincel	***brush***
la pintura	***painting***
el primer plano	***foreground***
representar	***to represent***
el retrato	***portrait***
sentado, sentada	***seated***
el sentimiento	***feeling***
el siglo	***century***
el taller	***workshop***
el tema	***subject***
volverse (ue)	***to become***

Fold In

Realidades 3 Nombre ____ Hora ____

Capítulo 2 Fecha ____

Vocabulary Check, Sheet 4

Tear out this page. Write the Spanish words on the lines. Fold the paper along the dotted line to see the correct answers so you can check your work.

still life	***la naturaleza muerta***
work of art	***la obra de arte***
palette	***la paleta***
standing	***parado, parada***
brush	***el pincel***
painting	***la pintura***
foreground	***el primer plano***
to represent	***representar***
portrait	***el retrato***
seated	***sentado, sentada***
feeling	***el sentimiento***
century	***el siglo***
workshop	***el taller***
subject	***el tema***
to become	***volverse (ue)***

Fold In

Pretérito vs. imperfecto (p. 76)

Remember that you have learned two past tenses: the preterite and the imperfect. Look at the information below for a summary of when to use each tense:

Preterite

- actions that happened once or were completed in the past
- to relate a series of events that happened

Imperfect

- habitual or repeated actions in the past
- descriptions such as background information, physical appearance, emotions, time, date, age, and weather

When you have two verbs in one sentence, use the following rules:

- If two actions were going on simultaneously and did not interrupt each other, put both verbs in the imperfect:
  *Yo **leía** mientras mi hermana **pintaba**.*
- If one action that is in progress in the past is interrupted by another action, put the action in progress in the imperfect and the interrupting action in the preterite:
  *Los estudiantes **pintaban** cuando su maestro **salió** de la clase.*

A. Read each of the following statements about Picasso's life and career. Then decide if the statement is about something Picasso *used to do* or if it is something he *did once.* Place a checkmark in the box of your choice.

Modelo Pablo Ruiz Picasso **nació** en Málaga el 25 de octubre de 1881.
☐ used to do ☑ did once

1. **Hizo** un viaje a París en 1900.
   ☐ used to do ☑ did once
2. **Pasaba** mucho tiempo con el artista André Breton y la escritora Gertrude Stein.
   ☑ used to do ☐ did once
3. **Hacía** cuadros monocromáticos.
   ☑ used to do ☐ did once
4. **Quería** expresar la violencia y la crueldad de la Guerra Civil Española.
   ☑ used to do ☐ did once
5. **Pintó** el cuadro *Guernica* para ilustrar los horrores de la guerra.
   ☐ used to do ☑ did once

B. Javier recently visited his friend Domingo's art studio. Read each part of the story and decide if it gives *description/background information* or if it tells *what happened* in the story. Circle your choice.

Modelo Eran las tres y hacía buen tiempo. What happened (Description)

1. Llegué al taller de Domingo a las tres y media. (What happened) Description
2. Llamé a la puerta, pero nadie contestó. (What happened) Description
3. La puerta estaba abierta. What happened (Description)
4. Entré en el taller. (What happened) Description
5. Encontré a Domingo. (What happened) Description
6. No tenía ganas de trabajar más. What happened (Description)

C. Choose the correct form of each verb to complete these sentences about an artist.

1. Cuando ((**era**) / **fui**) niña, me ((**gustaba**) / **gustó**) mucho el arte.
2. Siempre ((**tomaba**) / **tomé**) clases de arte y ((**dibujaba**) / **dibujé**) en mi tiempo libre.
3. La semana pasada, (**empezaba** / (**empecé**)) una pintura nueva.
4. Primero, (**pintaba** / (**pinté**)) el fondo con colores oscuros y después, (**incluía** / (**incluí**)) una figuras de animales.

D. Complete the following sentences with the preterite or the imperfect form of the verb.

Modelo *Eran* (**ser**) las dos cuando la clase de arte *empezó* (**empezar**).

1. Los estudiantes ya ***trabajaban*** (**trabajar**) cuando su profesor ***entró*** (**entrar**).
2. El profesor les ***dijo*** (**decir**), «Uds. son muy trabajadores».
3. Luego, el profesor ***hizo*** (**hacer**) una demostración de una técnica artística nueva.
4. Mientras los estudiantes ***practicaban*** (**practicar**), el profesor ***caminaba*** (**caminar**) por la clase para observar sus avances.
5. El profesor ***estaba*** (**estar**) contento porque sus estudiantes ***aprendieron*** (**aprender**) la técnica muy bien.

Estar + participio (p. 79)

- To form the past participle of **-ar** verbs, add **-ado** to the root of the verb. For **-er** and **-ir** verbs, add **-ido** to the root. See the examples below.

lavar lavado *(washed)*	comer comido *(eaten)*	servir servido *(served)*

A. Write the past participle form for each verb. Follow the model.

Modelo (crear) *creado*

1. (inspirar) ***inspirado***
2. (vestir) ***vestido***
3. (representar) ***representado***
4. (vender) ***vendido***
5. (influir) ***influido***
6. (pintar) ***pintado***
7. (tomar) ***tomado***
8. (mover) ***movido***

- It is common to use the past participle with the verb **estar** to give descriptions. Remember that since the past participle is being used as an adjective in these cases, it must agree in gender and number with the noun it describes:
  *El pintor **está cansado**.* *Las pintoras **están cansadas**.*

B. Read the following descriptions of famous paintings. Underline the noun in the sentence. Then, circle which form of the past participle best completes each sentence.

Modelo Las dos chicas están (**sentada** / **sentadas**).

1. La ventana del fondo está (**cerrado** / **cerrada**).
2. El fondo está (**pintado** / **pintados**) con colores oscuros.
3. Dos gatos están (**dormidos** / **dormidas**) en el sofá.
4. La cena está (**preparada** / **preparado**).
5. La pintura está (**basado** / **basada**) en los sueños del artista.
6. El pintor está (**incluido** / **incluida**) en la pintura.
7. Unos temas importantes están (**representadas** / **representados**).

- Some verbs have irregular past participles. Look at the list below:

poner: **puesto**	decir: **dicho**	hacer: **hecho**	escribir: **escrito**	ver: **visto**
abrir: **abierto**	morir: **muerto**	romper: **roto**	volver: **vuelto**	resolver: **resuelto**

C. Read the following description of an artist's workshop. First, write the past participle of the verb in parentheses. Next, complete the sentences with the correct form of this past participle. Be careful to make its ending match the noun in the sentence in number and gender.

Modelo (poner: *puesto*) Cuando entré en el taller, las luces no estaban *puestas*.

1. (abrir: ***abierto***) La ventana estaba ***abierta*** y hacía frío.
2. (romper: ***roto***) Una pintura grande estaba ***rota*** en el suelo.
3. (poner: ***puesto***) Los pinceles y la paleta estaban ***puestos*** en la mesa.
4. (escribir: ***escrito***) Unas notas para pinturas futuras estaban ***escritas*** en el cuaderno del artista.
5. (hacer: ***hecho***) Una escultura de un animal estaba ***hecha***
6. (morir: ***muerto***) Un ratón estaba ***muerto*** en el taller. ¡Qué horror!

D. The classroom was a mess when the students arrived Monday morning. Use the verbs in parentheses to write a sentence using **estar** + *past participle*. Follow the model.

Modelo Las ventanas *estaban* *abiertas* (**abrir**).

1. Unas palabras ***estaban*** ***escritas*** (**escribir**) en la pared.
2. Las paletas ***estaban*** ***puestas*** (**poner**) en el suelo.
3. Las botellas de agua de la maestra ***estaban*** ***bebidas*** (**beber**).
4. La computadora ***estaba*** ***rota*** (**romper**).
5. Los libros de texto ***estaban*** ***perdidos*** (**perder**).
6. Unos insectos habían entrado por la ventana y ***estaban*** ***muertos*** (**morir**) en el suelo.

Realidades 3 — Capítulo 2

Nombre ______ Hora ______

Fecha ______

Vocabulary Flash Cards, Sheet 4

Write the Spanish vocabulary word or phrase below each picture. Be sure to include the article for each noun.

el *aplauso*	*la* *danza*	*el* *escenario*
el *micrófono*	*el* *tambor*	*la* *trompeta*
el *conjunto*	*las* *entradas*	*los* *pasos*

Realidades 3 — Capítulo 2

Nombre ______ Hora ______

Fecha ______

Vocabulary Flash Cards, Sheet 5

Copy the word or phrase in the space provided. Be sure to include the article for each noun.

actuar *actuar*	**clásico, clásica** *clásico*, *clásica*	**el compás** *el* *compás*
destacarse *destacarse*	**el entusiasmo** *el* *entusiasmo*	**el escritor, la escritora** *el* *escritor*, *la* *escritora*
el espectáculo *el* *espectáculo*	**exagerar** *exagerar*	**el gesto** *el* *gesto*

Realidades 3 Nombre ________ Hora ________

Capítulo 2 Fecha ________ **Vocabulary Flash Cards, Sheet 6**

Copy the word or phrase in the space provided. Be sure to include the article for each noun.

identificarse con *identificarse* *con*	**interpretar** *interpretar*	**la interpretación** *la* *interpretación*
la letra *la* *letra*	**la melodía** *la* *melodía*	**pararse** *pararse*
parecerse a *parecerse* *a*	**el poema** *el* *poema*	**el/la poeta** *el/la* *poeta*

Realidades 3 Nombre ________ Hora ________

Capítulo 2 Fecha ________ **Vocabulary Flash Cards, Sheet 7**

Copy the word or phrase in the space provided. Be sure to include the article for each noun. The blank cards can be used to write and practice other Spanish vocabulary for the chapter.

realizar *realizar*	**la reseña** *la* *reseña*	**el ritmo** *el* *ritmo*
sonar a *sonar* *a*	**el tema** *el* *tema*	

Nombre ______ Hora ______

Fecha ______

Vocabulary Check, Sheet 5

Tear out this page. Write the English words on the lines. Fold the paper along the dotted line to see the correct answers so you can check your work.

actuar	***to perform***
el aplauso	***applause***
clásico, clásica	***classical***
el compás	***rhythm***
el conjunto	***band***
la danza	***dance***
destacar(se)	***to stand out***
la entrada	***ticket***
el entusiasmo	***enthusiasm***
el escenario	***stage***
el escritor, la escritora	***writer***
el espectáculo	***show***
exagerar	***to exaggerate***
el gesto	***gesture***
identificarse con	***to identify oneself with***

Fold In

Nombre ______ Hora ______

Fecha ______

Vocabulary Check, Sheet 6

Tear out this page. Write the Spanish words on the lines. Fold the paper along the dotted line to see the correct answers so you can check your work.

to perform	***actuar***
applause	***el aplauso***
classical	***clásico, clásica***
rhythm	***el compás***
band	***el conjunto***
dance	***la danza***
to stand out	***destacar(se)***
ticket	***la entrada***
enthusiasm	***el entusiasmo***
stage	***el escenario***
writer	***el escritor, la escritora***
show	***el espectáculo***
to exaggerate	***exagerar***
gesture	***el gesto***
to identify oneself with	***identificarse con***

Fold In

Realidades 3 Nombre ______ Hora ______

Capítulo 2 Fecha ______

Vocabulary Check, Sheet 7

Tear out this page. Write the English words on the lines. Fold the paper along the dotted line to see the correct answers so you can check your work.

la interpretación	***interpretation***
interpretar	***to interpret***
la letra	***lyrics***
la melodía	***melody***
el micrófono	***microphone***
el movimiento	***movement***
pararse	***to stand up***
el paso	***step***
el/la poeta	***poet***
realizar	***to perform, accomplish***
la reseña	***review***
el ritmo	***rhythm***
sonar(ue) (a)	***to sound (like)***
el tambor	***drum***
la trompeta	***trumpet***

Fold In

Realidades 3 Nombre ______ Hora ______

Capítulo 2 Fecha ______

Vocabulary Check, Sheet 8

Tear out this page. Write the Spanish words on the lines. Fold the paper along the dotted line to see the correct answers so you can check your work.

interpretation	***la interpretación***
to interpret	***interpretar***
lyrics	***la letra***
melody	***la melodía***
microphone	***el micrófono***
movement	***el movimiento***
to stand up	***pararse***
step	***el paso***
poet	***el/la poeta***
to perform, accomplish	***realizar***
review	***la reseña***
rhythm	***el ritmo***
to sound (like)	***sonar(ue) (a)***
drum	***el tambor***
trumpet	***la trompeta***

Fold In

Ser y estar (p. 88)

- Remember that Spanish has two verbs that mean "to be": **ser** and **estar**. Look at the rules below to review the circumstances in which each verb should be used:

  ***Ser* is used . . .**
  - to describe permanent physical and personal characteristics
  - to describe nationality or origin
  - to describe someone's job or profession
  - to tell where and when an event will take place
  - to tell whom something belongs to

  ***Estar* is used . . .**
  - to describe temporary physical conditions or emotions
  - to give location
  - as part of the progressive tenses, such as ***está escuchando*** or ***estaba escuchando***

A. Use **es** or **está** to describe the director of a show.

El director...

1. nació en Madrid. ***Es*** español.
2. trabaja mucho todos los días. ***Es*** muy serio.
3. cree que los actores están trabajando muy bien esta noche. ***Está*** contento.
4. Tiene mucho dinero. ***Es*** rico.
5. Lleva un traje elegante esta noche. ***Está*** muy guapo.
6. ***Es*** músico también.

B. Complete the paragraph with the appropriate present tense forms of **ser** or **estar**.

Nuestra escuela ***está*** preparando una presentación de la obra de teatro *Romeo y Julieta*. *Romeo y Julieta* ***es*** la historia de dos jóvenes que ***están*** enamorados, pero sus familias ***son*** enemigas. Marta Ramos ***es*** la actriz principal: interpreta el papel de Julieta. Marta ***es*** una chica muy talentosa que ***es*** de Puerto Rico. Ella ***está*** muy entusiasmada porque este viernes ***es*** la primera representación de la obra. ***Es*** en el teatro de la escuela a las siete de la noche. Todos los actores ***están*** trabajando mucho esta semana para memorizar el guión. Los acontecimientos de las vidas de Romeo y Julieta ***son*** muy trágicos, pero la obra ***es*** magnífica.

Ser y estar (*continued*)

- Sometimes using **ser** or **estar** with the same adjective causes a change in meaning:

El café *es bueno*.	*Coffee is good. (in general).*
El café *está bueno*.	*The coffee tastes good. (today).*
El actor *es aburrido*.	*The actor is boring. (in general)*
El actor *está aburrido*.	*The actor is bored. (today)*
La directora *es bonita*.	*The director is pretty. (in general)*
La directora *está bonita*.	*The director looks pretty. (today)*
Los actores *son ricos*.	*The actors are rich. (in general)*
La comida *está rica*.	*The food is tasty. (today)*

C. Decide if the following statements refer to what the people in a show are like in general, or if they describe what they are like in today's show.

1. **La cantante...**
   - a. es bonita. hoy (en general)
   - b. está nerviosa. (hoy) en general
   - c. es cómica. hoy (en general)
   - d. es colombiana. hoy (en general)
2. **Los actores...**
   - a. están elegantes. (hoy) en general
   - b. son ricos. hoy (en general)
   - c. están contentos. (hoy) en general
   - d. son talentosos. hoy (en general)

D. You and a friend are commenting on a variety show. Read each statement and decide which response best states the situation. The first one has been done for you.

1. La actriz tiene un vestido especialmente bonito esta noche.
   a. Es guapa. (b.) Está guapa.
2. Los músicos no tocan mucho y quieren irse.
   a. Son aburridos. (b.) Están aburridos.
3. Esos hombres tienen mucho dinero y coches lujosos.
   (a.) Son ricos. b. Están ricos.
4. Las cantantes se sienten bien porque cantaron muy bien la canción.
   a. Son orgullosos. (b.) Están orgullosas.
5. El camarero nos preparó un café especialmente delicioso esta noche.
   a. El café es rico. (b.) El café está rico.

Verbos con distinto sentido en el pretérito y en el imperfecto (p. 90)

- Some verbs have different meanings in the preterite and the imperfect. Look at the following chart to understand these changes in meaning:

Verbo	Imperfecto	Pretérito
saber	knew a fact or how to do something	found out
conocer	knew a person or place	met for the first time
querer	wanted to	tried to
no querer	didn't want to	refused to
poder	could, was able to	tried and succeeded in doing

A. Choose which idea is being expressed by the underlined verb in each sentence.

Modelo Los estudiantes conocieron al actor famoso.
☑ met ☐ knew

1. Jorge quería ser el galán de la obra de teatro.
   ☐ tried to ☑ wanted to
2. Lupe quiso sacar fotos del espectáculo.
   ☑ tried to ☐ wanted to
3. Yo sabía el título del poema.
   ☐ found out ☑ knew
4. Mi mamá supo que nuestro vecino es artista.
   ☑ found out ☐ knew
5. No quería aprender la melodía de esta canción aburrida.
   ☐ refused to ☑ didn't want to
6. No quise entrar al teatro.
   ☑ refused to ☐ didn't want to
7. Pudimos realizar el baile sin problemas.
   ☑ managed to, succeeded in ☐ were able to, could
8. Podíamos identificarnos con el protagonista.
   ☐ managed to, succeeded in ☑ were able to, could

B. Ana tells the story of how she finally got to meet a famous salsa singer. Complete the following sentences with the correct preterite or imperfect form of the verb in parentheses.

Modelo Yo *conocí* (conocer) a Carlos, mi mejor amigo, hace dos años.

1. Hacía muchos años que Carlos ***conocía*** (conocer) a una cantante de salsa.
2. Yo ***sabía*** (saber) bailar salsa y me gustaba ir a los clubes de salsa.
3. Una noche Carlos y yo decidimos ir al club donde trabajaba la cantante pero luego yo ***supe*** (saber) que tenía que trabajar y no pude ir.
4. Carlos ***sabía*** (saber) que yo quería conocer a su amiga y la invitó a mi casa al día siguiente.
5. Yo ***conocí*** (conocer) a la cantante y fue el día más fantástico de mi vida.

C. Complete the following sentences with the correct preterite or imperfect **yo** form of the verb in parentheses.

Modelo Yo *quise* (querer) aprender los pasos de la salsa, pero no sé bailar bien y la clase fue un desastre.

1. Yo ***quería*** (querer) leer en un café. Por eso le pregunté al dueño del café si era posible.
2. Yo ***quise*** (querer) leer la poesía en el café, pero me puse nerviosa y no pude terminar el poema.
3. Julia no ***quería*** (querer) salir con Pepe, pero salieron porque él es el mejor amigo de su novio.
4. Julia no ***quiso*** (querer) salir con Pepe y por eso él tuvo que ir solo al cine.
5. El director nos dijo que nosotros ***podíamos*** (poder) participar en la obra de teatro.
6. Nosotros no teníamos mucho dinero, pero ***pudimos*** (poder) comprar las entradas porque sólo costaban $5. Las compramos ayer.

Puente a la cultura: (pp. 94–95)

A. Look at the paintings by Francisco de Goya on the pages surrounding the article. Check off all words on the following list that could be used to describe one or more of the works you see.

- ☑ realistas
- ☑ retratos
- ☑ oscuros
- ☐ abstractos
- ☑ surrealistas
- ☐ monocromáticos

B. This reading contains many *cognates*, or Spanish words that look and sound like English words. Can you determine the meanings of the following words? Circle the option that you think represents the correct meaning.

1. la corte — a. curtain — (b.) court
2. los triunfos — (a.) triumphs — b. trumpets
3. la época — (a.) epoch, age — b. epicenter
4. las tropas — a. traps — (b.) troops
5. las imágenes — a. imaginations — (b.) images
6. los monstruos — (a.) monsters — b. monsoons

C. This reading talks about four important events in Goya's life and how each event affected the art he created. Match each event with the painting or type of paintings it led Goya to produce.

1. _c_ Se enfermó
2. _d_ Llegó a ser Pintor de la Cámara
3. _a_ Hubo una guerra entre España y Francia
4. _b_ Trabajó para la Real Fábrica de Tapices

a. *El 3 de mayo de 1808*
b. bocetos (*sketches*) de la vida diaria en Madrid
c. las "Pinturas negras"
d. retratos de los reyes y la familia real

Lectura (pp. 100-103)

A. The reading in your book, *Cuando era puertorriqueña*, is an excerpt from an autobiography. From what you know of autobiographies, check off the items you might find in this reading.

- ☑ important events in one's life
- ☑ first person narration
- ☐ talking animals
- ☑ real-world settings
- ☐ analysis of scientific data

B. Read the following excerpt from the story. Based on what you read, write the letter of the teacher who would most likely discuss each topic below with his or her students.

—Mister Gatti, el maestro de gramática, te dirigirá ... Y Missis Johnson te hablará acerca de lo que te debes de poner y esas cosas.

1. _b_ la ropa
2. _a_ la pronunciación
3. _a_ la fonética
4. _a_ el inglés

a. Mr. Gatti
b. Mrs. Johnson

C. The girl in the story, Esmeralda, has her first audition to get into the Performing Arts High School. Circle the best choice below to complete the statements about the events leading up to and including the audition.

1. Esmeralda quería salir muy bien en su audición porque (**(quería salir de Brooklyn)** / **quería ser una actriz famosa**).
2. Cuando Esmeralda se enfrentó con el jurado (**se le salió un inglés natural** / **(se le olvidó el inglés)**).
3. Antes de presentar su soliloquio, Esmeralda estaba (**tranquila** / **(nerviosa)**).
4. Cuando presentó su soliloquio, (**habló con mucha expresión** / **(habló muy rápido)**).
5. Las mujeres del jurado sabían que Esmeralda (**(estaba nerviosa)** / **tenía talento**).

D. Now, read the statements about the events following the audition, and circle whether they are true (**cierto**) or false (**falso**).

1. La mamá de Esmeralda fue con ella a la audición. (cierto) falso
2. Esmeralda tuvo la oportunidad de pronunciar su soliloquio una segunda vez. cierto (falso)
3. Bonnie y Esmeralda hicieron el papel de hermanas. (cierto) falso
4. En la segunda actuación, Esmeralda imaginó que estaba decorando un árbol de Navidad. (cierto) falso
5. Esmeralda no fue admitida a la Performing Arts High School. cierto (falso)

E. The end of this autobiography occurs years after the audition of Esmerelda, although it recalls the events as if they had just happened. Read the excerpt and answer the questions that follow.

> *Me dijo que el jurado tuvo que pedirme que esperara afuera para poderse reír, ya que les parecía tan cómico ver a aquella chica puertorriqueña de catorce años chapurreando (babbling) un soliloquio acerca de una suegra posesiva durante el cambio de siglo, las palabras incomprensibles porque pasaban tan rápidas.*

1. Why, does it turn out, that the jury panel asked Esmeralda to wait outside?

   The jury panel asked Esmeralda to wait outside because they needed to laugh.

2. What did the jury find funny about Esmeralda?

   They found it funny that a young girl was babbling about a possessive mother-in-law during the turn of the century, and that she was hard to understand because she was speaking so fast.

Pronombres de complemento directo (p. 109)

- In Spanish, as in English, direct objects describe who or what directly receives the action of a verb. Direct object pronouns are often used to avoid repeating words in conversation.

  ¿Comes frijoles todos los días?
  *Sí, **los** como todos los días.*

  The direct object pronouns in Spanish are:

me	nos
te	os
lo/la	los/las

- Direct object pronouns are usually placed in front of a conjugated verb.

  ¿Quieres el pan tostado? *Sí, **lo** quiero.*

- If a conjugated verb is followed by an infinitive or present participle, the direct object pronoun can also be attached to the end of the infinitive or participle.

  *Sí, **los** voy a comer.* *Sí, voy a comer**los**.*
  ***Lo** estoy comiendo.* *Estoy comiéndo**lo**.*

A. Everyone is doing different things before dinner. First, underline the direct object pronoun in each sentence. Then, match each statement with the food to which it refers.

1. *b* José María la quiere. — a. el pan tostado
2. *d* La tía de Margarita está comiéndolas. — ~~b. la carne de res~~
3. *c* Mis amigos los prueban. — c. los espaguetis
4. *a* Luisa va a prepararlo. — d. las salchichas

B. Read the following sentences about who is making what for the family picnic. Underline the direct object in first sentence. Then, write the direct object pronoun that should replace it in the second sentence. Follow the model.

Modelo Mi tía Anita prepara la ensalada. *La* prepara.

1. Mi tía Donna trae las papas. ***Las*** trae.
2. Mi tío Bill arregla el plato de frutas. ***Lo*** arregla.
3. Mi prima Laura prepara unos postres deliciosos. ***Los*** prepara.
4. Mamá pone la mesa. ***La*** pone.

C. You are helping a friend prepare for a dinner party. Respond to each of her questions using direct object pronouns. Remember that you will need to change the verbs to the **yo** form to answer the questions. Follow the model.

Modelo ¿Serviste la ensalada? Sí, *la* *serví*.

1. ¿Cortaste la sandía? Sí, ***la*** ***corté***.
2. ¿Probaste los camarones? Sí, ***los*** ***probé***.
3. ¿Compraste los dulces? No, no ***los*** ***compré***.
4. ¿Preparaste el postre? No, no ***lo*** ***preparé***.
5. ¿Cocinaste las galletas? Sí, ***las*** ***cociné***.

D. Look at the picture of Pablo and his parents eating breakfast. Then, answer the questions below using **sí** or **no**. Write the correct direct object pronoun in your answer. Follow the model.

Modelo ¿Come Pablo yogur? *Sí, lo come.*

1. ¿Come salchichas? ***No, no las come.***
2. ¿Bebe leche? ***Sí, la bebe.***
3. ¿Come cereal? ***Sí, lo come.***
4. ¿Comen tocino los padres de Pablo? ***Sí, lo comen.***
5. ¿Comen huevos? ***Sí, los comen.***
6. ¿Beben café? ***Sí, lo beben.***
7. ¿Comen frutas? ***No, no las comen.***
8. ¿Beben jugo de piña? ***No, no lo beben.***

Pronombres de complemento indirecto (p. 111)

- To indicate *to whom* or *for whom* an action is performed, you use indirect object pronouns in Spanish. The indirect object pronouns are:

me	nos
te	os
le	les

- Indirect object pronouns follow the same rules for placement as direct object pronouns. They usually go before a conjugated verb, but can also be attached to the end of an infinitive or a present participle.
  *María **me** prepara el desayuno.*
  *María **te** va a preparar el desayuno. / María va a prepararte el desayuno.*
- To clarify who the indirect object pronoun refers to, you can add **a** + a noun or the corresponding subject pronoun.
  *El doctor **le** da las pastillas **a José**.*
  *La enfermera **les** pone una inyección **a ellas**.*
- Remember that one common use of the indirect object pronouns is with verbs like **gustar, encantar,** and **doler.**

A. Doctors and nurses do a lot of things for their patients. First, read the following statements and circle the direct object pronoun. Then, indicate for whom the action is done by choosing a letter from the box below.

a. for me	**c.** for one other person
b. for us	**d.** for a group of other people

Modelo El médico (me) receta la medicina. *a*

1. A veces la enfermera (les) da regalos a los niños. ***d***
2. El doctor (nos) pone una inyección. ***b***
3. La enfermera (le) toma la temperatura al niño. ***c***
4. La doctora (me) examina. ***a***
5. Los doctores (les) dan recetas a sus pacientes. ***d***
6. La enfermera (le) toma una radiografía al paciente. ***c***
7. La doctora (nos) recomienda la comida buena. ***b***

Realidades 3

Capítulo 3

Nombre ______ Hora ______

Fecha ______ **AVSR, Sheet 4**

Pronombres de complemento indirecto (*continued*)

B. Write the correct indirect object pronouns to complete the sentences about what an assistant does for others in his office.

Modelo El asistente siempre ___*le*___ prepara café al jefe.

1. El asistente ___***nos***___ sirve café a nosotros también.
2. El asistente ___***me***___ manda (a mí) documentos por correo electrónico.
3. El asistente ___***les***___ trae fotocopias a los trabajadores.
4. ¿El asistente ___***te***___ prepara los materiales para la reunión (a ti)?
5. El asistente ___***le***___ dice la verdad a su jefe.

C. Help the school nurse understand what's wrong with each student. Using the information provided, write a sentence about each picture. Be sure to include an indirect object pronoun in each sentence.

Modelo  (Ronaldo / doler / el brazo)
A Ronaldo le duele el brazo.

1. (Catrina / no gustar / medicina)
A Catrina no le gusta la medicina.
2. (A mí / doler / la espalda)
A mí me duele la espalda.
3. (Las chicas / doler / la cabeza)
A las chicas les duele la cabeza.
4. (Nosotros / doler / el estómago)
A nosotros nos duele el estómago.
5. (Enrique / no gustar / la inyección)
A Enrique no le gusta la inyección.

Go Online WEB CODE jed-0301 PHSchool.com

Realidades 3

Capítulo 3

Nombre ______ Hora ______

Fecha ______ **Vocabulary Flash Cards, Sheet 1**

Write the Spanish vocabulary word or phrase below each picture. Be sure to include the article for each noun.

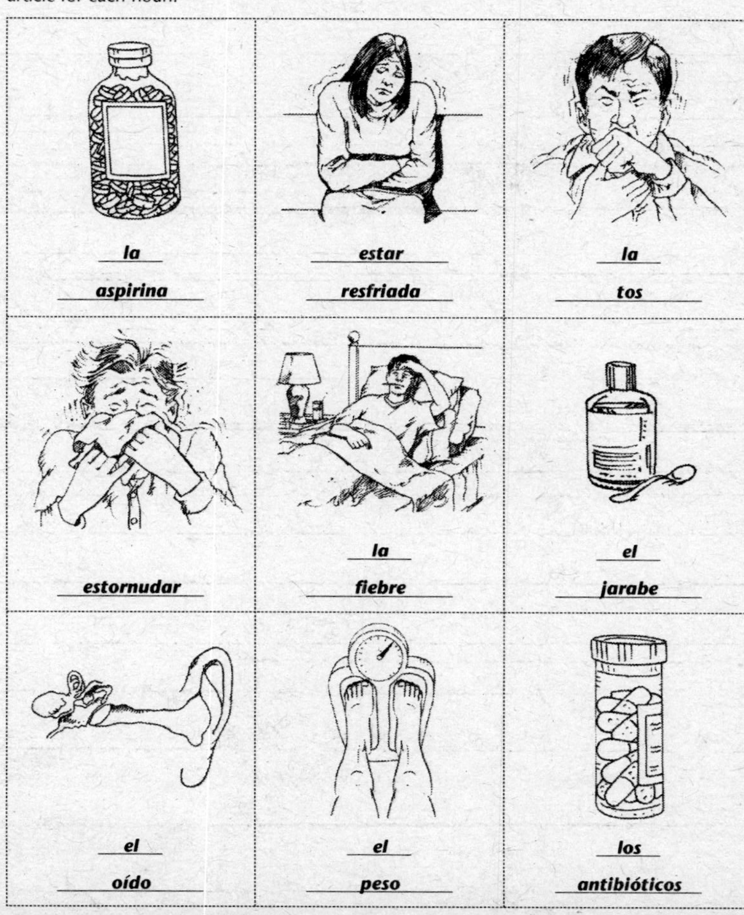

Realidades 3 | Nombre ______ Hora ______

Capítulo 3 | Fecha ______

Vocabulary Flash Cards, Sheet 2

Write the Spanish vocabulary word below each picture. If there is a word or phrase, copy it in the space provided. Be sure to include the article for each noun.

la *comida* *basura*	*la* *estatura*	*el* *pecho*
la alergia *la* *alergia*	**la alimentación** *la* *alimentación*	**los alimentos** *los* *alimentos*
apropiado, apropiada *apropiado*, *apropiada*	**aunque** *aunque*	**el calcio** *el* *calcio*

Realidades 3 | Nombre ______ Hora ______

Capítulo 3 | Fecha ______

Vocabulary Flash Cards, Sheet 3

Copy the word or phrase in the space provided. Be sure to include the article for each noun.

contener *contener*	**la dieta** *la* *dieta*	**la edad** *la* *edad*
la energía *la* *energía*	**equilibrado, equilibrada** *equilibrado*, *equilibrada*	**evitar** *evitar*
la fibra *la* *fibra*	**el grado centígrado** *el* *grado* *centígrado*	**la gripe** *la* *gripe*

Realidades 3 Nombre ______ Hora ______

Capítulo 3 Fecha ______ **Vocabulary Flash Cards, Sheet 4**

Copy the word or phrase in the space provided. Be sure to include the article for each noun.

el hábito alimenticio *el* *hábito* *alimenticio*	**el hierro** *el* *hierro*	**lleno, llena** *lleno,* , *llena*
la merienda *la* *merienda*	**la proteína** *la* *proteína*	**nutritivo, nutritiva** *nutritivo,* , *nutritiva*
saltar (una comida) *saltar* *(una* *comida)*	**saludable** *saludable*	**vacío, vacía** *vacío,* , *vacía*

Realidades 3 Nombre ______ Hora ______

Capítulo 3 Fecha ______ **Vocabulary Flash Cards, Sheet 5**

Copy the word or phrase in the space provided. Be sure to include the article for each noun. The blank cards can be used to write and practice other Spanish vocabulary for the chapter.

el carbohidrato *el* *carbohidrato*	**tomar** *tomar*	**la vitamina** *la* *vitamina*

Realidades 3 | Nombre ______ Hora ______

Capítulo 3 | Fecha ______

Vocabulary Check, Sheet 1

Tear out this page. Write the English words on the lines. Fold the paper along the dotted line to see the correct answers so you can check your work.

la alergia	***allergy***
el antibiótico	***antibiotic***
los alimentos	***food***
apropiado, apropiada	***appropriate***
aunque	***despite, even when***
el calcio	***calcium***
la comida basura	***junk food***
contener	***to contain***
la dieta	***diet***
la edad	***age***
la energía	***energy***
equilibrado, equilibrada	***balanced***
estar resfriado, resfriada	***to have a cold***
la estatura	***height***
estornudar	***to sneeze***
evitar	***to avoid***
la fiebre	***fever***
la fibra	***fiber***

Fold In

Realidades 3 | Nombre ______ Hora ______

Capítulo 3 | Fecha ______

Vocabulary Check, Sheet 2

Tear out this page. Write the Spanish words on the lines. Fold the paper along the dotted line to see the correct answers so you can check your work.

allergy	***la alergia***
antibiotic	***el antibiótico***
food	***los alimentos***
appropriate	***apropiado, apropiada***
despite, even when	***aunque***
calcium	***el calcio***
junk food	***la comida basura***
to contain	***contener***
diet	***la dieta***
age	***la edad***
energy	***la energía***
balanced	***equilibrado, equilibrada***
to have a cold	***estar resfriado, resfriada***
height	***la estatura***
to sneeze	***estornudar***
to avoid	***evitar***
fever	***la fiebre***
fiber	***la fibra***

Fold In

Realidades 3 — Capítulo 3

Nombre ____ Hora ____

Fecha ____

Vocabulary Check, Sheet 3

Tear out this page. Write the English words on the lines. Fold the paper along the dotted line to see the correct answers so you can check your work.

el grado centígrado	***centigrade degree***
la gripe	***flu***
el hábito alimenticio	***eating habit***
el hierro	***iron***
el jarabe	***syrup***
lleno, llena	***full***
la manera	***way***
la merienda	***snack***
el nivel	***level***
nutritivo, nutritiva	***nutritious***
el oído	***ear***
el pecho	***chest***
la proteína	***protein***
saltar (una comida)	***to skip (a meal)***
saludable	***healthy***
tomar	***to take, to drink***
la tos	***cough***
vacío, vacía	***empty***

Fold In

Realidades 3 — Capítulo 3

Nombre ____ Hora ____

Fecha ____

Vocabulary Check, Sheet 4

Tear out this page. Write the Spanish words on the lines. Fold the paper along the dotted line to see the correct answers so you can check your work.

centigrade degree	***el grado centígrado***
flu	***la gripe***
eating habit	***el hábito alimenticio***
iron	***el hierro***
syrup	***el jarabe***
full	***lleno, llena***
way	***la manera***
snack	***la merienda***
level	***el nivel***
nutritious	***nutritivo, nutritiva***
ear	***el oído***
chest	***el pecho***
protein	***la proteína***
to skip (a meal)	***saltar (una comida)***
healthy	***saludable***
to take, to drink	***tomar***
cough	***la tos***
empty	***vacío, vacía***

Fold In

Go Online WEB CODE jed-0302 PHSchool.com

Mandatos afirmativos con *tú* (p. 121)

- Affirmative **tú** commands are informal commands telling one person to do something. To form them, you use the present indicative **él/ella/Ud.** form of the verb. Note that this also applies to stem-changing verbs.

Toma vitaminas.	*Take vitamins*
Pide una ensalada.	*Order a salad.*

A. Decide if each of the following statements is an observation the doctor has made about what you normally do, or if it is something the doctor is telling you to do (command).

Modelo Caminas en el parque. ☑ observación ☐ orden del médico

1. Practica deportes. ☐ observación ☑ orden del médico
2. Descansas después de clases. ☑ observación ☐ orden del médico
3. Levanta pesas. ☐ observación ☑ orden del médico
4. Saltas el desayuno. ☑ observación ☐ orden del médico
5. Bebe leche. ☐ observación ☑ orden del médico

B. Write the affirmative **tú** commands of the verbs in parentheses.

Modelo *Duerme* (Dormir)

1. ***Desayuna*** (Desayunar)
2. ***Come*** (Comer)
3. ***Evita*** (Evitar)
4. ***Bebe*** (Beber)
5. ***Pide*** (Pedir)
6. ***Compra*** (Comprar)

- Some verbs have irregular affirmative **tú** command forms. Look at the list below.

hacer: **haz**	tener: **ten**	salir: **sal**	venir: **ven**	decir: **di**
ir: **ve**	ser: **sé**	poner: **pon**	mantener: **mantén**	

C. Change the sentences to affirmative **tú** commands to give a friend health advice.

Modelo Necesitas hacer ejercicio. *Haz* ejercicio.

1. Necesitas salir a correr. ***Sal*** a correr.
2. Necesitas ser atlético. ***Sé*** atlético.
3. Necesitas ir al gimnasio tres veces por semana. ***Ve*** al gimnasio.
4. Necesitas venir al parque conmigo para jugar fútbol. ***Ven*** al parque conmigo.
5. Necesitas mantener una buena salud. ***Mantén*** una buena salud.

Mandatos afirmativos con *tú* (*continued*)

- With affirmative commands, any reflexive, direct object, or indirect object pronouns are attached to the end of the verb.

Cóme*lo*.	*Eat it.*
Láva*te* las manos.	*Wash your hands.*

- When you attach a pronoun to a verb with two or more syllables, you will need to add a written accent mark to maintain the stress. The accent mark will usually go on the third-to-last vowel of the command.

D. Give the students advice to encourage better eating habits. Write the command form of the verb with the appropriate direct object pronoun for the underlined noun. Don't forget to add the accent mark to the stressed syllable.

Modelo Ana no come las verduras. *Cómelas.*

1. José no bebe leche. ***Bébela.***
2. Andrés no toma las vitaminas. ***Tómalas.***
3. Luci no compra el jugo de naranja. ***Cómpralo.***
4. Beatriz no evita la comida basura. ***Evítala.***

E. Write the command form of the verb with the reflexive pronoun to give your brother advice about his daily routine. Don't forget to add the accent mark to the stressed syllable as needed.

Modelo (cepillarse) *Cepíllate* los dientes dos veces al día.

1. (lavarse) ***Lávate*** las manos antes de comer.
2. (despertarse) ***Despiértate*** temprano por la mañana.
3. (acostarse) ***Acuéstate*** antes de las nueve de la noche.
4. (ducharse) ***Dúchate*** todos los días.
5. (ponerse) ***Ponte*** un sombrero y una chaqueta cuando hace frío.
6. (cortarse) ***Córtate*** las uñas una vez por semana.

Mandatos negativos con *tú* (p. 122)

- Negative **tú** commands, used to informally tell one person not to do something, are formed differently from affirmative **tú** commands. Use the following rules to form negative **tú** commands:
  1) Put the verb in the **yo** form of the present tense.
  2) Get rid of the **-o** at the end of the verb.
  3) For **-ar** verbs, add the ending **-es**.
     For **-er** and **-ir** verbs, add the ending **-as**.

  caminar: *no camines* beber: *no bebas* escribir: *no escribas*
- Following these rules, verbs that have irregular **yo** forms or stem changes in the present tense will have the same stem changes in the negative **tú** commands.

  poner: no pon**gas** obedecer: no obede**zcas**
  servir: no s**irvas** contar: c**uentes**

A. Decide if each of the following statements is an observation the doctor has made about what you normally do, or if it is a suggestion about what you shouldn't do. Check off your choice.

1. No comes frutas. ☑ observación ☐ orden del médico
2. No comas comida basura. ☐ observación ☑ orden del médico
3. No descansas mucho. ☑ observación ☐ orden del médico
4. No tienes energía. ☑ observación ☐ orden del médico
5. No saltes comidas. ☐ observación ☑ orden del médico

B. Some students have confessed their bad habits. Tell them not to do it anymore! Be careful to use the correct ending: **-as** or **-es**.

Modelo Como muchos dulces. _No_ _comas_ muchos dulces.

1. Bebo refrescos con mucho azúcar. **_No_** **_bebas_** esos refrescos.
2. Tomo mucho café todos los días. **_No_** **_tomes_** tanto café.
3. Pido comida basura en los restaurantes. **_No_** **_pidas_** esa comida.
4. Cocino muchas comidas fritas. **_No_** **_cocines_** tantas comidas fritas.

Go Online WEB CODE jed-0304 PHSchool.com

C. José is a student with study habits that need to change. Complete his part with the present tense **yo** form. Then, complete his friend's advice with a negative **tú** command, using the same verb. Follow the model.

Modelo (hacer) —Siempre _hago_ las tareas después de medianoche.
—José, no _hagas_ las tareas tan tarde en la noche.

1. (poner) —Siempre **_pongo_** mi tarea debajo de la cama.
   —José, no **_pongas_** la tarea allí.
2. (escoger) —Siempre **_escojo_** las clases más fáciles.
   —José, no **_escojas_** sólo las clases fáciles.
3. (salir) —Siempre **_salgo_** temprano de mis clases.
   —José, no **_salgas_** temprano de tus clases.
4. (destruir) —Siempre **_destruyo_** mis exámenes cuando saco malas notas.
   —José, no **_destruyas_** los exámenes. Estúdialos para entender tus errores.

- When including a direct object, indirect object, or reflexive pronoun with a negative command, the pronoun must be placed *in front of* the verb.

  *No **te** acuestes muy tarde.*
  *No comas mucha grasa. No **la** comas.*

D. Rewrite the following commands using direct object pronouns. Follow the model.

Modelo No comas muchos dulces. _No los comas_.

1. No compres esas comidas. **_No las compres._**
2. No bebas esos refrescos. **_No los bebas._**
3. No tomes tanto café. **_No lo tomes._**
4. No pidas esa comida. **_No la pidas._**

- Some verbs have irregular negative **tú** command forms. Look at the list below.

dar: **no des**	ir: **no vayas**	estar: **no estés**	ser: **no seas**	saber: **no sepas**

E. Write the correct negative **tú** command for each sentence to help a mother give commands to her teenage daughter.

Modelo (ir) No _vayas_ a lugares desconocidos sin otra persona.

1. (dar) No le **_des_** tu número de teléfono a nadie.
2. (ser) No **_seas_** irresponsable.
3. (estar) No **_estés_** enojada conmigo.
4. (ir) No **_vayas_** a las fiestas de la universidad.

Go Online WEB CODE jed-0304 PHSchool.com

Mandatos afirmativos y negativos con *Ud.* y *Uds.* (p. 123)

- To give formal commands to one person, you need to use an **Ud.** command. To give commands to a group of people, you need to use an **Uds.** command. Both types of commands are formed in a similar manner to the negative **tú** commands.
- To make an **Ud.** command, remove the final **-s** from the negative **tú** command.
  - Estudie (Ud.) — No estudie (Ud.)
- To make an **Uds.** command, replace the **-s** of the negative **tú** command with an **-n**.
  - Estudien (Uds.) — No estudien (Uds.)
- As you can see from the examples above, the negative commands have the same verb forms as the affirmative commands. The only difference is that they are preceded by the word ***no***.

A. Write the correct endings for commands that students and Sra. Méndez, their teacher, give each other. Pay attention to whether you are writing an **Ud.** or an **Uds.** command.

Modelo (hablar) Sra. Méndez, habl*e* (Ud.) más despacio, por favor.

1. (tomar) Estudiantes, tom***en*** (Uds.) apuntes, por favor.
2. (repetir) Sra. Méndez, repit***a*** (Ud.) la frase otra vez, por favor.
3. (escribir) Sra. Méndez, escrib***a*** (Ud.) las palabras nuevas en la pizarra, por favor.
4. (hacer) Estudiantes, no hag***an*** (Uds.) tanto ruido, por favor.
5. (decir) Sra. Méndez, no dig***a*** (Ud.) que hay más tarea, por favor.

- Verbs that end in **-car**, **-gar**, and **-zar** have spelling changes in the **Ud.** and **Uds.** commands. See the examples below.
  - Bus**que** (Ud.) — No bus**quen** (Uds.)
  - Jue**gue** (Ud.) — No jue**guen** (Uds.)
  - No almuer**ce** (Ud.) — Almuer**cen** (Uds.)

B. Write the correct **Ud.** command form for each verb below. Pay attention to verb endings to determine the spelling change. Follow the model.

Modelo (Practicar) *Practique* la pronunciación con frecuencia.

1. (llegar) No ***llegue*** tarde a la clase.
2. (Empezar) ***Empiece*** a escribir ahora.
3. (Cruzar) ***Cruce*** la calle aquí.
4. (sacar) No ***saque*** la comida en este momento.
5. (tocar) No ***toque*** la mesa sucia.

Go Online WEB CODE jed-0305 PHSchool.com

- The same verbs that are irregular in the negative **tú** commands are also irregular in the **Ud.** and **Uds.** commands. See the list below for a reminder.

dar: **dé/den**	ir: **vaya/vayan**	ser: **sea/sean**	estar: **esté/estén**	saber: **sepa/sepan**

C. Provide the correct **Uds.** commands for a group of student athletes.

Modelo (Ser) *Sean* honrados y trabajadores.

1. (Ir) ***Vayan*** al gimnasio a levantar pesas.
2. (dar) No le ***den*** la pelota a un jugador del otro equipo.
3. (Saber) ***Sepan*** el horario de partidos.
4. (ser) No ***sean*** descorteses con el otro equipo.

- The rules for placement of direct object, indirect object, and reflexive pronouns for **Ud.** and **Uds.** commands are the same as those for the **tú** commands.
- Pronouns are attached to affirmative commands.
  - *Tome (Ud.) vitaminas. Tóme**las**.*
  - *Levánten**se** (Uds.) temprano.*
- Pronouns go in front of negative commands.
  - *No **se** acueste (Ud.) tarde.*
  - *No coman (Uds.) muchas hamburguesas. No **las** coman.*
- Remember that with reflexive verbs the pronoun will be ***se*** for both **Ud.** and **Uds.** commands.

D. Provide the **Ud.** commands that Paco gives his father during the day. A "+" indicates you should write an affirmative command; a "–" indicates a negative command. Don't forget the reflexive pronoun!

Modelo (+ levantarse) *Levántese* ahora.

1. (– afeitarse) ***No se afeite*** hoy.
2. (+ ducharse) ***Dúchese*** ahora.
3. (– lavarse) ***No se lave*** el pelo con el champú de su mamá.
4. (+ cepillarse) ***Cepíllese*** los dientes.
5. (+ ponerse) ***Póngase*** ese traje gris.
6. (– irse) ***No se vaya*** ahora.

Go Online WEB CODE jed-0305 PHSchool.com

Realidades 3 Nombre ____ Hora ____

Capítulo 3 Fecha ____ **Vocabulary Flash Cards, Sheet 6**

Write the Spanish vocabulary word or phrase below each picture. Be sure to include the article for each noun.

Realidades 3 Nombre ____ Hora ____

Capítulo 3 Fecha ____ **Vocabulary Flash Cards, Sheet 7**

Write the Spanish vocabulary word below each picture. If there is a word or phrase, copy it in the space provided. Be sure to include the article for each noun.

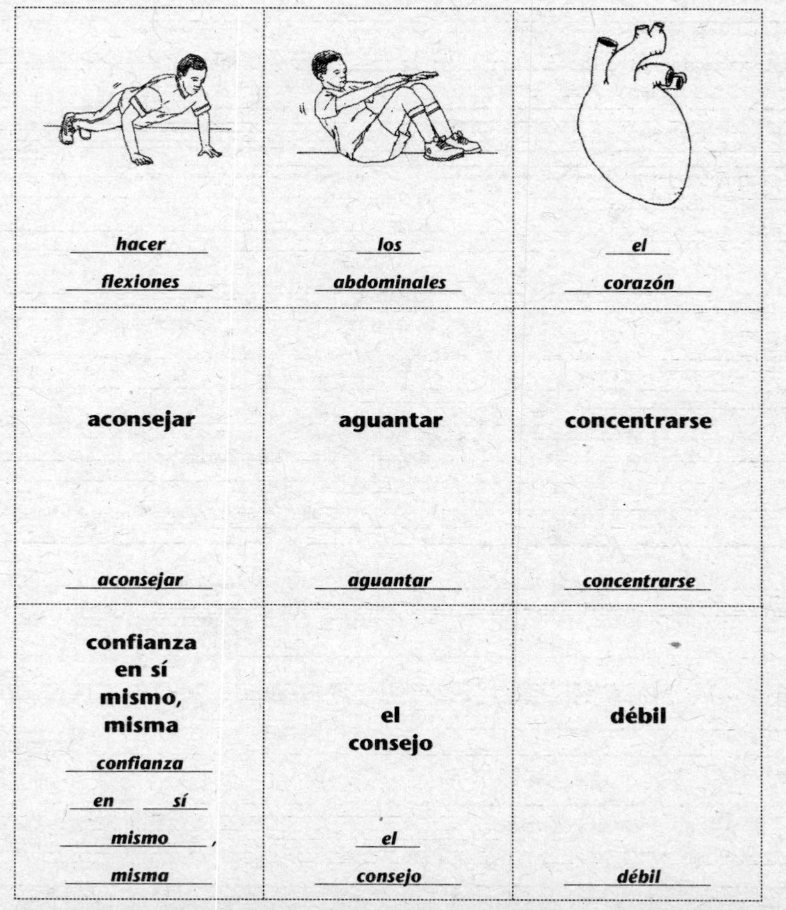

Realidades 3 — Capítulo 3

Nombre ______ Hora ______

Fecha ______ **Vocabulary Flash Cards, Sheet 8**

Copy the word or phrase in the space provided. Be sure to include the article for each noun.

desarrollar *desarrollar*	**estar de buen/mal humor** *estar* *de* *buen/mal* *humor*	**el estrés** *el* *estrés*
exigir *exigir*	**fuerte** *fuerte*	**la fuerza** *la* *fuerza*
incluir *incluir*	**la manera** *la* *manera*	**el nivel** *el* *nivel*

Realidades 3 — Capítulo 3

Nombre ______ Hora ______

Fecha ______ **Vocabulary Flash Cards, Sheet 9**

Copy the word or phrase in the space provided. Be sure to include the article for each noun. The blank cards can be used to write and practice other Spanish vocabulary for the chapter.

preocuparse *preocuparse*	**quejarse** *quejarse*	**relajarse** *relajarse*
respirar *respirar*	**sentirse fatal** *sentirse* *fatal*	

Vocabulary Check, Sheet 5

Tear out this page. Write the English words on the lines. Fold the paper along the dotted line to see the correct answers so you can check your work.

abdominales	***crunches***
aconsejar	***to advise***
aguantar	***to endure; to tolerate***
caerse de sueño	***to be exhausted, sleepy***
el calambre	***cramp***
el consejo	***advice***
concentrarse	***to concentrate***
confianza en sí mismo(a)	***self-confidence***
el corazón	***heart***
débil	***weak***
desarrollar	***to develop***
ejercicios aeróbicos	***aerobics***
estar de buen/ mal humor	***to be in a good/ bad mood***
estar en forma	***to be fit***
estirar	***to stretch***

Fold In

Vocabulary Check, Sheet 6

Tear out this page. Write the Spanish words on the lines. Fold the paper along the dotted line to see the correct answers so you can check your work.

crunches	***abdominales***
to advise	***aconsejar***
to endure; to tolerate	***aguantar***
to be exhausted, sleepy	***caerse de sueño***
cramp	***el calambre***
advice	***el consejo***
to concentrate	***concentrarse***
self-confidence	***confianza en sí mismo(a)***
heart	***el corazón***
weak	***débil***
to develop	***desarrollar***
aerobics	***ejercicios aeróbicos***
to be in a good/ bad mood	***estar de buen/ mal humor***
to be fit	***estar en forma***
to stretch	***estirar***

Fold In

Realidades 3 Nombre Hora

Capítulo 3 Fecha **Vocabulary Check, Sheet 7**

Tear out this page. Write the English words on the lines. Fold the paper along the dotted line to see the correct answers so you can check your work.

el estrés	***stress***
estresado, estresada	***stressed out***
exigir	***to demand***
flexionar	***to flex, to stretch***
la fuerza	***strength***
hacer bicicleta	***to use a stationary bike***
hacer cinta	***to use a treadmill***
hacer flexiones	***to do push-ups***
el músculo	***muscle***
preocuparse	***to worry***
quejarse	***to complain***
relajar(se)	***to relax***
respirar	***to breathe***
sentirse fatal	***to feel awful***
el yoga	***yoga***

Fold In

Realidades 3 Nombre Hora

Capítulo 3 Fecha **Vocabulary Check, Sheet 8**

Tear out this page. Write the Spanish words on the lines. Fold the paper along the dotted line to see the correct answers so you can check your work.

stress	***el estrés***
stressed out	***estresado, estresada***
to demand	***exigir***
to flex, to stretch	***flexionar***
strength	***la fuerza***
to use a stationary bike	***hacer bicicleta***
to use a treadmill	***hacer cinta***
to do push-ups	***hacer flexiones***
muscle	***el músculo***
to worry	***preocuparse***
to complain	***quejarse***
to relax	***relajar(se)***
to breathe	***respirar***
to feel awful	***sentirse fatal***
yoga	***el yoga***

Fold In

Go Online WEB CODE jed-0306 PHSchool.com

El subjuntivo: verbos regulares (p. 132)

- When someone gives advice, recommendations, suggestions, or demands to another person, Spanish uses the *subjunctive mood.*
- A sentence that includes the subjunctive can be thought of as having two separate halves, which are connected by the word **que**.

  Yo recomiendo que tú *hagas* ejercicio. *I recommend that you exercise.*
- Notice that the first half (**Yo recomiendo**) includes a verb in the regular present tense and introduces a suggestion, demand, etc. The second half (**tú hagas ejercicio**) includes a verb in the subjunctive and tells what the first person wants the second person to do.
- Verbs in the subjunctive form may look somewhat familiar to you because they follow the same conjugation rules as the **Ud./Uds.** commands. To form verbs in the subjunctive, follow the rules below:
  1) Put the verb in the **yo** form of the present indicative (regular present tense).
  2) Take off the **-o**.
  3) a. For **-ar** verbs, add the following endings: **-e, -es, -e, -emos, -éis, -en**
     b. For **-er** and **-ir** verbs, add the following endings: **-a, -as, -a, -amos, -áis, -an**
- Below are three examples of verbs conjugated in the present subjunctive.

entrenar		correr		tener	
entrene	entrenemos	corra	corramos	tenga	tengamos
entrenes	entrenéis	corras	corráis	tengas	tengáis
entrene	entrenen	corra	corran	tenga	tengan

A. Underline the verbs in the present subjunctive in the following sentences.

Modelo Mis padres recomiendan que yo haga mi tarea.

1. El doctor quiere que los pacientes coman bien.
2. Los profesores exigen que los estudiantes estudien.
3. Yo no permito que tú fumes.
4. Tú prefieres que nosotros tomemos clases de yoga.
5. A nosotros no nos gusta que nuestro padre salte comidas.
6. Recomiendo que nosotros evitemos la comida basura.

B. Oprah Winfrey is known for her dedication to health and fitness. First, identify if each of the following activities is a custom (**C**) or a recommendation (**R**) of Oprah. Then, choose the correct verb to complete the sentence.

Modelo _R_ Oprah le aconseja a la chica que (**hace** / **haga**) cinta.

1. _C_ Oprah siempre (**se estira** / **se estire**) antes de correr.
2. _R_ Oprah quiere que los jóvenes (**evitan** / **eviten**) la comida basura.
3. _R_ Oprah recomienda que nosotros (**nos relajamos** / **nos relajemos**) un poco.
4. _C_ Oprah (**come** / **coma**) alimentos nutritivos cada día.

- You can also use impersonal expressions to give recommendations, suggestions, and demands. These impersonal expressions are followed by **que** and then the subjunctive. Some common expressions are:

  Es importante... Es necesario... Es bueno... Es mejor...

  Es importante que *los atletas **cuiden** su corazón.*

C. In each sentence, circle the impersonal expression that indicates a suggestion for healthy living. Then, use the correct present subjunctive form to complete the sentence.

Modelo Es necesario que yo _*tome*_ (**tomar**) 8 vasos de agua al día.

1. Es mejor que Miguel _***elimine***_ (**eliminar**) el estrés.
2. Es importante que Eva y Adán _***coman***_ (**comer**) frutas y verduras.
3. Es necesario que Gabriela _***haga***_ (**hacer**) ejercicio.
4. Es bueno que los niños _***incluyan***_ (**incluir**) carbohidratos en su dieta.

D. Complete the sentences about a coach's recommendations for his athletes by conjugating the verbs correctly. Remember that your first verb will be in the indicative and your second verb will be in the subjunctive. Follow the model.

Modelo el entrenador / recomendar / que / nosotros / practicar todos los días
El entrenador recomienda que nosotros practiquemos todos los días.

1. es importante / que / nosotros / entregar nuestra tarea
   Es importante que nosotros entreguemos nuestra tarea.
2. el entrenador / no permitir / que / nosotros / llegar tarde al partido
   El entrenador no permite que nosotros lleguemos tarde al partido.
3. es bueno / que / nosotros / traer nuestros uniformes / a la escuela
   Es bueno que nosotros traigamos nuestros uniformes a la escuela.
4. el entrenador / exigir / que / nosotros / tener una buena actitud
   El entrenador exige que nosotros tengamos una buena actitud.

El subjuntivo: Verbos irregulares (p. 135)

- There are six irregular verbs in the present subjunctive. See the chart below for the conjugations of these verbs.

ser	sea, seas, sea, seamos, seáis, sean
estar	esté, estés, esté, estemos, estéis, estén
dar	dé, des, dé, demos, deis, den
ir	vaya, vayas, vaya, vayamos, vayáis, vayan
saber	sepa, sepas, sepa, sepamos, sepáis, sepan
haber	haya, hayas, haya, hayamos, hayáis, hayan

A. Choose the correct form of the subjunctive verb to complete each of the following sentences about healthy living. Circle your choice.

Modelo Te sugiero que tú no (**estés** / **estén**) tan estresado. *(estés circled)*

1. Es importante que nosotros (**mantengas** / **mantengamos**) una buena salud. *(mantengamos circled)*
2. Quiero que ellos (**vayamos** / **vayan**) a la práctica de fútbol. *(vayan circled)*
3. El doctor me recomienda que (**sepa** / **sepas**) tomar buenas decisiones. *(sepa circled)*
4. Es muy bueno que (**haya** / **hayas**) una clase de yoga este viernes. *(haya circled)*
5. Los enfermeros no permiten que nosotras (**sean** / **seamos**) perezosas. *(seamos circled)*

B. A group of students discusses the emphasis on health in their community. Complete the sentences with the correct present subjunctive form.

Modelo (saber) Es importante que nosotros ___*sepamos*___ más sobre la buena salud.

1. (estar) Todos recomiendan que nosotros ___***estemos***___ en forma.
2. (dar) Si no te gusta correr, es importante que (tú) ___***des***___ un paseo por el parque.
3. (ser) Los padres no deben permitir que sus hijos ___***sean***___ perezosos.
4. (haber) Es bueno que ___***haya***___ dos parques en nuestra ciudad.
5. (saber) Los líderes de la ciudad quieren que los jóvenes ___***sepan***___ llevar una vida sana.
6. (estar) Nos gusta que la piscina ___***esté***___ abierta hasta las diez durante el verano.

El subjuntivo: Verbos irregulares (*continued*)

C. Look at the list of recommendations given by a director of a health club. First, underline the verb that best completes the sentence. Then, write the correct form of the verb using the subjunctive mood. Follow the model.

Modelo Los doctores prefieren que los jóvenes (ser / saber) ___*sean*___ activos. *(ser underlined)*

1. Quiero que la gente (**dar** / **estar**) ___***esté***___ relajada. *(estar underlined)*
2. Les recomiendo que Uds. (**ir** / **saber**) ___***vayan***___ al club atlético. *(ir underlined)*
3. Exijo que todos nosotros (**estar** / **ir**) ___***vayamos***___ al gimnasio juntos. *(ir underlined)*
4. Es necesario que (**haber** / **dar**) ___***haya***___ clubes atléticos disponibles. *(haber underlined)*
5. Es importante que nosotros (**haber** / **saber**) ___***sepamos***___ algo sobre el cuerpo humano. *(saber underlined)*

D. Complete the following statements about exercise and healthy living.

Modelo Mis padres / exigir / que / todos nosotros / dar una caminata / en las montañas
Mis padres exigen que todos nosotros demos una caminata en las montañas.

1. Yo / recomendar / que / mis amigos / ser / activos
Yo recomiendo que mis amigos sean activos.
2. Es necesario / que / la gente / saber / dónde está el gimnasio
Es necesario que la gente sepa dónde está el gimnasio.
3. Es bueno / que / haber / clases de ejercicios aérobicos / en nuestra escuela
Es bueno que haya clases de ejercicios aeróbicos en nuestra escuela.
4. El entrenador / sugerir / que / yo / ir / al lago para nadar
El entrenador sugiere que yo vaya al lago para nadar.

El subjuntivo: verbos con cambio de raíz (p. 137)

- Stem-changing verbs follow slightly different rules than other verbs in the subjunctive. Verbs ending in **-ar** and **-er** have stem changes in all forms except the **nosotros** and **vosotros** forms.

contar		perder	
cuente	contemos	pierda	perdamos
cuentes	contéis	pierdas	perdáis
cuente	cuenten	pierda	pierdan

- The **-ir** stem-changing verbs have stem changes in *all* forms of the subjunctive, but the stem change for the **nosotros** and **vosotros** forms differs slightly.
- If the **-ir** verb has an **o→ue** stem change, such as **dormir,** the **o** will change to a **u** in the **nosotros** and **vosotros** forms. If the **-ir** verb has an **e→ie** stem change, such as **preferir,** the **e** will change to an **i** in the **nosotros** and **vosotros** forms. If the verb has an **e→i** stem change, such as **servir,** it has the same stem change in all forms. Look at the examples below.

dormir		preferir		servir	
duerma	durmamos	prefiera	prefiramos	sirva	sirvamos
duermas	durmáis	prefieras	prefiráis	sirvas	sirváis
duerma	duerman	prefiera	prefieran	sirva	sirvan

A. Circle the correct verb form to complete each sentence. Pay attention to whether the statement is trying to persuade someone to do something (subjunctive) or if it is just an observation about someone's lifestyle (indicative).

Modelo Siempre (**vuelves** / **vuelvas**) a casa tarde.

1. Te enojas cuando (**pierdes** / **pierdas**) partidos.
2. Es importante que (**te diviertes** / **te diviertas**) cuando practicas deportes.
3. Siempre (**empiezas** / **empieces**) tu tarea muy tarde.
4. Exijo que (**comienzas** / **comiences**) a hacer la tarea más temprano.
5. Con frecuencia (**te despiertas** / **te despiertes**) tarde para tus clases.
6. Es mejor que (**te acuestas** / **te acuestes**) antes de las diez para poder dormir lo suficiente.

B. A talk show host tells her TV audience what she recommends for a healthly lifestyle. Complete each sentence with the **Uds.** form of the verb in the present subjunctive.

Modelo (entender) Recomiendo que Uds. *entiendan* cómo mantener la salud.

1. (volver) Es mejor que Uds. ***vuelvan*** temprano a casa para cenar.
2. (divertirse) Exijo que Uds. ***se*** ***diviertan*** durante el día.
3. (despertarse) Es bueno que Uds. ***se*** ***despierten*** temprano todos los días.
4. (repetir) Es necesario que Uds. ***repitan*** todas estas reglas.

C. Many people are giving health advice to you and your friends. Complete each sentence with the **nosotros** form of the verb in the present subjunctive. **¡Cuidado!** Remember that only **-ir** verbs have stem changes in the **nosotros** form of the subjunctive.

Modelo (pedir) Julia nos recomienda que *pidamos* una ensalada.

1. (dormir) Pati nos recomienda que ***durmamos*** más horas.
2. (probar) Paco nos recomienda que ***probemos*** esas comidas nuevas.
3. (empezar) Carmen nos recomienda que ***empecemos*** lentamente.
4. (vestirse) Mateo nos recomienda que ***nos*** ***vistamos*** con ropa cómoda.

D. Write complete sentences using the words provided. Each sentence should have one verb in the regular present tense and one in the present subjunctive. Don't forget to add the word **que**!

Modelo Mis padres / querer / yo / seguir / sus consejos
Mis padres quieren que yo siga sus consejos.

1. El entrenador / sugerir / los atletas / dormir / ocho horas cada noche
El entrenador sugiere que los atletas duerman ocho horas cada noche.
2. La profesora / recomendar / nosotros / pedir / ayuda
La profesora recomienda que nosotros pidamos ayuda.
3. Mi amigo / recomendar / yo / empezar un programa de ejercicio
Mi amigo recomienda que yo empiece un programa de ejercicio.
4. Él / querer / nosotros / divertirse / en nuestro trabajo
Él quiere que nosotros nos divirtamos en nuestro trabajo.

Puente a la cultura (pp. 140–141)

A. You are about to read about an ancient Mexican ball game somewhat similar to basketball. See if you can answer the following questions about the sport of basketball.

1. How many players from each team are on the court at once? ***5***
2. How many points can a person earn for a basket?
   1 (free throw), 2 (regular basket), 3 (long-distance basket)
3. Which of the following *cannot* be considered as a rule of basketball?
   - **a.** no aggressive behavior toward other players
   - **b.** you must dribble the ball using your hands
   - **c.** you must attempt to score within a time limit
   - **(d.)** you must pass the ball with your feet

B. Use the Venn diagram below to compare ***ullamalitzi***, the ancient Aztec ball game with the modern game of basketball. Write the letters of each statement in the appropriate places: the left circle if they apply only to basketball, the right circle if they apply only to the Aztec ball game, or in the middle if they apply to both. The first one is done for you.

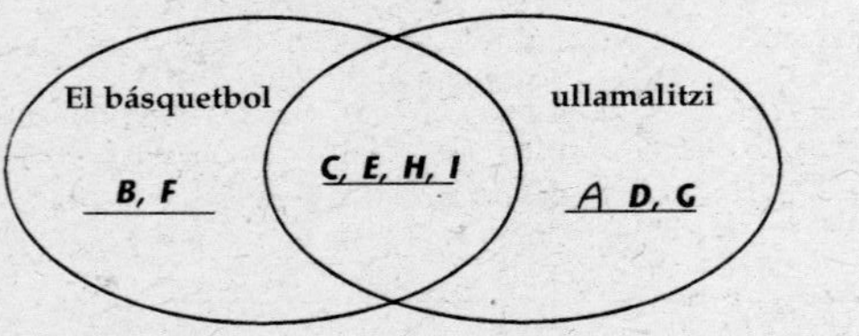

- **A.** ~~Los nobles juegan.~~
- **B.** Los partidos aparecen en la tele.
- **C.** Hay una pelota bastante grande.
- **D.** La pelota pesa ocho libras.
- **E.** Hay un anillo.
- **F.** Los jugadores usan las manos.
- **G.** Los jugadores no pueden usar las manos.
- **H.** Muchas personas ven los partidos.
- **I.** Los atletas llevan uniformes.

C. Place a check mark next to the adjectives that correspond with the characteristics of Aztec society that the article describes.

- ☐ aburrida
- ☑ religiosa
- ☑ artística
- ☐ desorganizada
- ☑ atlética

Lectura (pp. 146–149)

A. Use the pictures on pages 146–147 of your textbook to help you determine what the reading will be about. Write two types of advice you think this article will give you, judging by the pictures.

1. ***Suggested answers: (1) eating a balanced diet, (2) healthy snacks to eat, (3) how to brush your teeth***
2. ______

B. This reading is divided up into six sections. Look at the different sections on pages 146–148 and read each subtitle. Try to anticipate what each section will be about by thinking about the meaning of the subtitle. You can also use the pictures in your textbook to help you. Then, write the letter of the command below that best relates to each subtitle in the reading. The first one has been done for you.

1. ***f*** **Aliméntate bien**
2. ***d*** **No comas comida basura**
3. ***a*** **Muy limpios**
4. ***e*** **Más H_2O**
5. ***c*** **¿Una siesta?**
6. ***b*** **Siéntate bien.**

- **a.** Cepíllate los dientes.
- **b.** Mantén la espalda derecha.
- **c.** Duerme ocho horas al día.
- **d.** Lleva comida de tu casa.
- **e.** Bebe agua.
- **f.** ~~Come el desayuno todos los días.~~

C. Look at the section of the reading entitled "**No comas comida basura.**" Each excerpt contains a highlighted phrase with a cognate in it. First, circle the cognate. Then, try to determine the meaning of the phrase based on the context.

*«Mejor escoge alimentos **que echen a andar tu motor**»*

1. ***Get your motor running***

*«Las palomitas de maíz y **las frutas deshidratadas** son una buena opción en lugar de comidas fritas.»*

2. ***Dried fruit***

Realidades 3 — Capítulo 3

Nombre ______ Hora ______

Fecha ______ **Reading Activities, Sheet 3**

D. Each section of the reading is divided into goals, steps for reaching the goal, and pieces of advice. Look at the section titled **"Muy limpios"** on p. 147 and check off the answer that best summarizes the content of each part of this section.

1. **Meta**
   - ___ tener dientes blancos
   - _✔_ tener dientes y manos limpios
2. **¡Lógralo!**
   - ___ cepillarse los dientes antes de comer y lavarse las manos después
   - _✔_ lavarse las manos frecuentemente con un gel y cepillarse los dientes después de comer
3. **Nuestros consejos**
   - _✔_ traer un cepillo y mentas en tu mochila para tener siempre los dientes limpios
   - ___ usar mentas todos los días en lugar de cepillarse los dientes

E. Do not get frustrated if you cannot understand every word of the article. Read the sections **"Más H_2O"**, **"¿Una siesta?"**, and **"Siéntate bien"** and write the main point of each section in one sentence. The main point has been done for you for the section **"Más H_2O."**

1. **Más H_2O**

   It is important to drink water or juice instead of soda to maintain energy and good health.
2. **¿Una siesta?**

   Suggested answer: Changes in diet, exercise, or nighttime sleeping habits will make you feel less tired in the afternoon.
3. **Siéntate bien**

   Suggested answer: Sit up straight with your feet on the floor to keep your back healthy.

Realidades 3 — Capítulo 4

Nombre ______ Hora ______

Fecha ______ **AVSR, Sheet 1**

Otros usos de los verbos reflexivos (p. 155)

- Reflexive verbs in Spanish are often used to talk about actions one does to or for oneself, as opposed to other people. Note that, in the first example below, the woman wakes herself up, but in the second, she wakes her husband up.

  La mujer *se despierta*. (reflexive) — *The woman wakes (herself) up.*

  La mujer *despierta a su esposo*. (non-reflexive) — *The woman wakes her husband up.*
- Many reflexive verbs are associated with elements of one's daily routine:
  - **acostarse** (*to go to bed*)
  - **afeitarse** (*to shave*)
  - **bañarse** (*to bathe*)
  - **despertarse** (*to wake up*)
  - **divertirse** (*to have fun*)
  - **ducharse** (*to shower*)
  - **levantarse** (*to get up*)
  - **ponerse** (*to put on*)
  - **sentirse** (*to feel*)
  - **vestirse** (*to dress oneself*)
  - **lavarse el pelo, las manos,** etc. (*to wash one's own hair, hands, etc.*)
  - **cepillarse el pelo, los dientes,** etc. (*to brush one's own hair, teeth, etc.*)

A. Complete the following sentences by circling the correct reflexive or non-reflexive verb forms. For each sentence, determine who the object of the verb is. If it is the same person who is performing the action, the reflexive verb form is required.

Modelo El perro siempre ((**despierta**) / **se despierta**) a los niños.

1. Marta (**lava** / (**se lava**)) el pelo.
2. La mamá ((**peina**) / **se peina**) a su hija pequeña.
3. Los hermanos Sánchez (**cepillan** / (**se cepillan**)) los dientes.
4. Nosotros ((**bañamos**) / **nos bañamos**) el perro.
5. Tú (**levantas** / (**te levantas**)) a las seis de la mañana.

B. Write the correct reflexive or non-reflexive present-tense verb form in the space provided. Note: the first space will be left blank if the verb is not reflexive. Follow the model.

Modelo (vestir/vestirse) Juanito _*se*_ _*viste*_ en el dormitorio.

1. (cepillar/cepillarse) Nosotros _***nos***_ _***cepillamos***_ los dientes después de desayunar.
2. (despertar/despertarse) Tú _—_ _***despiertas***_ a tu mamá a las seis.
3. (poner/ponerse) Carla y Alicia _***se***_ _***ponen***_ unas faldas cortas.
4. (sentir/sentirse) Yo _***me***_ _***siento***_ mal, pero tengo que ir a la escuela.

- There are some reflexive verbs that are used to express a change in condition or emotion.
  - **enojarse** (*to get angry*) **aburrirse** (*to get bored*)
  - **cansarse** (*to get tired*) **ponerse** + *adjective* (*to become scared, nervous, etc.*)
- Other verbs change meaning depending on whether they are used reflexively.
  - **ir**: to go — **irse**: to leave
  - **quedar**: to be located — **quedarse:** to stay in a place
  - **quitar**: to take away — **quitarse:** to take off (clothing)
  - **perder:** to lose — **perderse:** to get lost
  - **dormir**: to sleep — **dormirse**: to fall asleep
  - **volver:** to return — **volverse + adjective (ie. loco):** to become (ie. crazy)
- Some verbs and expressions are always reflexive:
  - **darse cuenta de**: to realize **quejarse**: to complain
  - **portarse bien/mal:** to behave well/badly

C. Write the correct reflexive or non-reflexive present-tense verb form in the spaces provided. Note: the first space will be left blank if the verb is not reflexive.

Modelo (enojar) Antonio _*se*_ _*enoja*_ cuando su hermano usa sus cosas.

1. (quejar) Los profesores _***se***_ _***quejan***_ de sus estudiantes perezosos.
2. (quitar) El camarero _—_ _***quita***_ la mesa después de la cena.
3. (cansar) Yo _***me***_ _***canso***_ cuando hago problemas matemáticos difíciles.
4. (perder) Nosotros _—_ _***perdemos***_ la tarea siempre.

- Reflexive pronouns can either go before the conjugated verb or on the end of a participle or infinitive. If the pronoun is attached to the present participle, add an accent mark.
  - *Me estoy lavando las manos.* — *Estoy lavándome las manos.*
  - *Te vas a duchar.* — *Vas a ducharte.*

D. Write the correct present participle or infinitive of the verbs in parentheses.

Modelo (cepillarse) Estoy _*cepillándome*_ los dientes.

1. (irse) ¿Quieres _***irte***_ ahora?
2. (dormirse) Estamos _***durmiéndonos***_ porque estamos muy aburridas.
3. (enojarse) Mis padres van a _***enojarse***_ si no llego a casa a tiempo.
4. (volverse) ¡Estoy _***volviéndome***_ loca de tanto trabajar!

Pronombres reflexivos en acciones recíprocas (p. 157)

- Verbs can be conjugated with reflexive pronouns in the **ellos/ellas/Uds.** and **nosotros** forms to express things that people do to or for each other.
  - **Nos hablamos por teléfono.** — *We talk to each other on the phone.*
  - **Los chicos se escriben frecuentemente** — *The boys write to each other often.*

  Remember that the reflexive forms are only used if both parties are doing the same thing to or for each other. They are not used if one person is simply doing something to someone else.
  - **Ella y su hermano se ayudan con la tarea.** — *She and her brother help each other with homework.*
  - **Ella ayuda a su hermano.** — *She helps her brother.*

A. Decide whether the actions in each sentence below are reciprocal or not. Circle the correct completion for the sentences. Follow the model.

Modelo Jorge y Felipe (**abrazan** / **(se abrazan)**).

1. Margarita y Pilar (**ayudan** / **(se ayudan)**) en tiempos difíciles.
2. Nacho y Javier (**(entienden)** / **se entienden**) la lección de matemáticas.
3. Mi mejor amiga y yo (**llevamos** / **(nos llevamos)**) muy bien.
4. Mis padres y yo (**(vemos)** / **nos vemos**) muchas películas juntos.
5. Los estudiantes y el profesor (**saludan** / **(se saludan)**) cuando llegan a clase.
6. Los niños (**pelean** / **(se pelean)**) por los juguetes.

B. Complete the sentences stating the reciprocal actions that people do based on the pictures. Follow the model.

Modelo  Los novios _*se*_ _*besan*_.

1.  Miguel y yo _***nos***_ _***entendemos***_ mejor que cualquier persona.
   nos ***comprendemos***

Nombre ______ Hora ______

Fecha ______ **AVSR, Sheet 4**

2. Elena y yo ***nos*** ***abrazamos*** .

3. Oswaldo y Paco ***se*** ***saludan*** .

4. Manolo y Ricardo ***se*** ***dan*** la mano.

C. Abuelita Cecilia is telling her grandchildren how the family was when she was little. Complete each sentence with the reciprocal verb form in the imperfect tense. Follow the model.

Modelo (abrazar) Mis primos y yo siempre *nos* *abrazábamos* en las reuniones familiares.

1. (pelear) Mis hermanitos ***se*** ***peleaban*** frecuentemente cuando jugaban al béisbol.
2. (llevar) Mis padres y yo ***nos*** ***llevábamos*** muy bien generalmente.
3. (conocer) Mis padres y los padres de mis amigos ***se*** ***conocían*** bien.
4. (escribir) Mis amigos que vivían en otras ciudades y yo ***nos*** ***escribíamos*** cartas porque no había correo electrónico.
5. (comprender) Mi hermana mayor y yo ***nos*** ***comprendíamos*** muy bien.
6. (leer) Mis padres eran poetas y ***se*** ***leían*** su poesía con frecuencia.
7. (parecer) Mis hermanos ***se*** ***parecían*** mucho.
8. (contar) Mis primos y yo ***nos*** ***contábamos*** chistes cómicos.

Go Online WEB CODE jed-0401 PHSchool.com

Nombre ______ Hora ______

Fecha ______ **Vocabulary Flash Cards, Sheet 1**

Write the Spanish vocabulary word below each picture. If there is a word or phrase, copy it in the space provided. Be sure to include the article for each noun.

cariñoso, ***cariñosa***	***celoso***, ***celosa***	***chismoso***, ***chismosa***
comprensivo, ***comprensiva***	***egoísta***	***entrometido***, ***entrometida***
honesto, ***honesta***	***vanidoso***, ***vanidosa***	**aceptar tal como** ***aceptar*** ***tal*** ***como***

Copy the word or phrase in the space provided. Be sure to include the article for each noun.

alegrarse (de) *alegrarse* *(de)*	**amable** *amable*	**la amistad** *la* *amistad*
apoyar(se) *apoyar(se)*	**cambiar de opinión** *cambiar* *de* *opinión*	**la confianza** *la* *confianza*
confiar (en alguien) *confiar* *(en alguien)*	**considerado, considerada** *considerado*, *considerada*	**contar (con)** *contar (con)*

Copy the word or phrase in the space provided. Be sure to include the article for each noun.

la cualidad *la* *cualidad*	**desconfiar** *desconfiar*	**esperar** *esperar*
guardar *guardar*	**íntimo, íntima** *íntimo*, *íntima*	**juntos, juntas** *juntos*, *juntas*
ojalá *ojalá*	**el secreto** *el* *secreto*	**sincero, sincera** *sincero*, *sincera*

Realidades 3 | Nombre ______ Hora ______

Capítulo 4 | Fecha ______ **Vocabulary Check, Sheet 1**

Tear out this page. Write the English words on the lines. Fold the paper along the dotted line to see the correct answers so you can check your work.

aceptar tal como (soy)	***to accept (me) the way (I am)***
alegrarse	***to be delighted***
amable	***kind***
la amistad	***friendship***
apoyar(se)	***to support; to back (one another)***
cambiar de opinión	***to change one's mind***
cariñoso, cariñosa	***loving, affectionate***
celoso, celosa	***jealous***
chismoso, chismosa	***gossipy***
comprensivo, comprensiva	***understanding***
la confianza	***trust***
confiar (*i*→*í*)	***to trust***
considerado, considerada	***considerate***
contar con	***to count on***
la cualidad	***quality***
desconfiar	***to mistrust***

Fold In ←

Realidades 3 | Nombre ______ Hora ______

Capítulo 4 | Fecha ______ **Vocabulary Check, Sheet 2**

Tear out this page. Write the Spanish words on the lines. Fold the paper along the dotted line to see the correct answers so you can check your work.

to accept (me) the way (I am)	***aceptar tal como (soy)***
to be delighted	***alegrarse***
kind	***amable***
friendship	***la amistad***
to support; to back (one another)	***apoyar(se)***
to change one's mind	***cambiar de opinión***
loving, affectionate	***cariñoso, cariñosa***
jealous	***celoso, celosa***
gossipy	***chismoso, chismosa***
understanding	***comprensivo, comprensiva***
trust	***la confianza***
to trust	***confiar (i→í)***
considerate	***considerado, considerada***
to count on	***contar con***
quality	***la cualidad***
to mistrust	***desconfiar***

Fold In ←

Nombre ______ Hora ______

Fecha ______ **Vocabulary Check, Sheet 3**

Tear out this page. Write the English words on the lines. Fold the paper along the dotted line to see the correct answers so you can check your work.

egoísta	***selfish***
entrometido, entrometida	***meddlesome, interfering***
esperar	***to hope (for)***
guardar (un secreto)	***to keep (a secret)***
honesto, honesta	***honest***
íntimo, íntima	***intimate***
juntos, juntas	***together***
ojalá	***I wish, I hope***
el secreto	***secret***
sincero, sincera	***sincere***
sorprender(se)	***to (be) surprised***
temer	***to fear***
tener en común	***to have in common***
tener celos	***to be jealous***
vanidoso, vanidosa	***vain, conceited***

Fold In

Nombre ______ Hora ______

Fecha ______ **Vocabulary Check, Sheet 4**

Tear out this page. Write the Spanish words on the lines. Fold the paper along the dotted line to see the correct answers so you can check your work.

selfish	***egoísta***
meddlesome, interfering	***entrometido, entrometida***
to hope (for)	***esperar***
to keep (a secret)	***guardar (un secreto)***
honest	***honesto, honesta***
intimate	***íntimo, íntima***
together	***juntos, juntas***
I wish, I hope	***ojalá***
secret	***el secreto***
sincere	***sincero, sincera***
to (be) surprised	***sorprender(se)***
to fear	***temer***
to have in common	***tener en común***
to be jealous	***tener celos***
vain, conceited	***vanidoso, vanidosa***

Fold In

Go Online WEB CODE jed-0402 PHSchool.com

El subjuntivo con verbos de emoción (p. 168)

- In Chapter 3, you learned to use the subjunctive in sentences in which someone expresses their desires, requests, or advice for someone else. Another instance in which the subjunctive is used is when one person expresses emotion about someone or something else. Look at the examples below.

Temo que mi amiga se enferme.	*I am afraid my friend will get sick.*
Nos sorprende que el maestro nos dé un examen.	*We are surprised that the teacher gives us an exam.*

The following list of verbs and expressions are used to indicate emotion:

temer: to be afraid	**ojalá:** I hope or wish
sentir: to regret / be sorry	**es bueno**: it is good
alegrarse de: to be happy	**es malo**: it is bad
esperar: to hope	**es una lástima**: it's a shame/pity
me, te... gusta: I / you . . . like	
me, te... enoja: it angers me, you . . .	

A. Each sentence describes a person's feeling about someone's actions. Circle the logical emotion for each sentence. Then underline the subjunctive verb in each sentence.

Modelo (**Me molesta** / **Me alegro de**) que no me aceptes tal como soy.

1. (**Es una lástima** / **Es bueno**) que no me comprendas.
2. (**Me gusta** / **Me enoja**) que siempre cambies de opinión.
3. (**Es malo** / **Espero**) que no tengas celos.
4. (**Es triste** / **Ojalá**) que no seas sincera.
5. (**Es bueno** / **Siento**) que tu novia y tú no tengan mucho en común.

B. Complete each sentence with the correct subjunctive form of the verb.

Modelo Espero que mis amigos siempre me *comprendan* (**comprender**)

1. Es una lástima que José *sea* egoísta. (**ser**)
2. Me alegro de que Juana *cuente* conmigo. (**contar**)
3. Me sorprende que Carlos no *apoye* a su novia. (**apoyar**)
4. Es ridículo que mis padres *desconfíen* de mí. (**desconfiar**)

C. Now, go back to exercise B and circle the verb or expression of emotion in each sentence. Follow the model.

Modelo Espero que mis amigos siempre me comprendan.

- Note that "**que**" marks a change in subject, and thus the subjunctive mood. In impersonal expressions, the verb **es** counts as one subject.

Es importante que tú seas honesto.	*It is important that you be honest.*

D. Combine the elements below to create a sentence using the subjunctive. Remember to use **que** after the first verb in each sentence. Follow the model.

Modelo Mis padres / temer / yo / no / ser / sincero
Mis padres temen que yo no sea sincero.

1. Yo / alegrarse de / mis hermanos / ser / cariñosos
   Yo me alegro de que mis hermanos sean cariñosos.
2. Es triste / mis amigos / no guardar / mis secretos.
   Es triste que mis amigos no guarden mis secretos.
3. Nosotros / sentir / tus padres / no / apoyar / tus decisiones
   Nosotros sentimos que tus padres no apoyen tus decisiones.
4. Es una lástima / tu mejor amiga / tener celos
   Es una lástima que tu mejor amiga tenga celos.

- If there is only one subject in the sentence, "**que**" is omitted and the infinitive is used after the conjugated verb or expression of emotion.

(Yo) Me alegro de tener muchos amigos.	*I am happy to have (that I have) many friends.*

E. Read each sentence and determine whether to use the infinitive or the present subjunctive. Look for the "**que**" and a change in subject. Follow the model.

Modelo (**escuchar**) Me molesta que mis hermanos *escuchen* mis conversaciones con mis amigos.

1. (**poder**) Siento no *poder* ir a la fiesta. Estoy enfermo.
2. (**ser**) Es bueno que nosotros *seamos* sinceros.
3. (**aceptar**) Me alegro de que mis padres me *acepten* tal como soy.
4. (**guardar**) Esperamos *guardar* los secretos de nuestra familia.
5. (**tener**) Es bueno *tener* muchos amigos comprensivos.

Los usos de *por y para* (p. 171)

- The prepositions **por** and **para** have several distinct uses in Spanish.

Por is used to indicate:

- an exchange, such as with money
  *Pago dos dólares **por** una taza de café.*
- a substitution or replacement
  *Trabajo **por** mi mejor amigo cuando él está enfermo.*
- the reason for doing something
  *La profesora se enojó **por** malas notas de sus estudiantes.*
- an approximate length of time
  *Mi amigo y yo nos hablamos **por** varias horas.*
- a means of transportation / communication
  *Mi amigo y yo nos comunicamos **por** correo electrónico.*
- where an action takes place
  *Mis padres corrieron **por** el río.*
- The following expressions also use **por**:
  por favor, por eso, por supuesto, por ejemplo, por lo general, por primera (segunda, etc.) vez, por la mañana (tarde, noche)

Para is used to indicate:

- deadlines or moments in time
  *Este reportaje es **para** el viernes.*
- a destination
  *Salimos **para** Madrid a las nueve.*
- a function or goal
  *Esta cámara digital sirve **para** sacar fotos.*
- the recipient of an action
  *Este regalo de boda es **para** los novios.*
- a purpose (in order to)
  *Llamé a mi amigo **para** contarle el secreto.*
- an opinion
  ***Para** ti, la amistad es muy importante.*

A. Read each of the following statements using the preposition **por** and decide why **por** was used instead of **para**.

D 1. Ella se casó **por** dinero.
C 2. Pagué $15 **por** el disco compacto.
B 3. Dio un paseo **por** el parque.
E 4. Corté el césped **por** mi padre.
A 5. Leyó el libro **por** muchas horas.

A. length of time
B. where an action takes place
C. an exchange
D. reason or motive
E. action on someone's behalf

B. Read each of the following statements using the preposition **para** and decide why **para** was used instead of **por**. The first one is done for you.

C 1. Necesito escribir un informe **para** mañana.
D 2. Las frutas son buenas **para** la salud.
E 3. **Para** mí, es muy importante guardar los secretos.
A 4. **Para** ser buen amigo necesitas ser paciente.
F 5. Tengo una carta **para** Isabel.
B 6. El tren sale **para** México a las siete.

A. purpose, in order to
B. destination
C. ~~a point in time, deadline~~
D. function, goal
E. opinion
F. recipient of an action

C. Circle **por** or **para** for each of the following sentences. Follow the model.

Modelo Esta carretera pasa (**por** / **para**) Tejas. [por circled]

1. No sé si hay una piscina (**por** / **para**) aquí. [por circled]
2. Vivimos en Puerto Rico (**por** / **para**) mucho tiempo. [por circled]
3. Cecilia pagó mucho (**por** / **para**) su vestido de Prom. [por circled]
4. (**Por** / **Para**) mí, el deporte más divertido es el fútbol. [Para circled]
5. No puedo ir. ¿Puedes ir (**por** / **para**) mí? [por circled]
6. Compramos un regalo (**por** / **para**) Silvia. Es su cumpleaños. [para circled]
7. Francisco tomó el avión (**por** / **para**) San Juan. [para circled]
8. No pudimos acampar (**por** / **para**) la tormenta. [por circled]
9. Los proyectos son (**por** / **para**) el lunes. [para circled]
10. Siempre voy (**por** / **para**) el gimnasio antes de ir a la piscina. [por circled]
11. Quiero ir al parque (**por** / **para**) jugar al fútbol. [para circled]
12. Prefiero viajar (**por** / **para**) avión. [por circled]

Realidades 3 — Capítulo 4

Nombre ______ Hora ______

Fecha ______ **Vocabulary Flash Cards, Sheet 4**

Copy the word or phrase in the space provided. Be sure to include the article for each noun.

acusar *acusar*	**la armonía** *la* *armonía*	**atreverse** *atreverse*
colaborar *colaborar*	**el comportamiento** *el* *comportamiento*	**el conflicto** *el* *conflicto*
criticar *criticar*	**la diferencia de opinión** *la* *diferencia* *de* *opinión*	**estar equivocado, equivocada** *estar* *equivocado*, *equivocada*

Realidades 3 — Capítulo 4

Nombre ______ Hora ______

Fecha ______ **Vocabulary Flash Cards, Sheet 5**

Copy the word or phrase in the space provided. Be sure to include the article for each noun.

la explicación *la* *explicación*	**hacer las paces** *hacer* *las* *paces*	**hacer caso** *hacer* *caso*
ignorar *ignorar*	**el malentendido** *el* *malentendido*	**mejorar** *mejorar*
pedir perdón *pedir* *perdón*	**la pelea** *la* *pelea*	**pensar en sí mismo, misma** *pensar* *en* *sí* *mismo*, *misma*

Realidades 3 | Nombre ____ | Hora ____

Capítulo 4 | Fecha ____ | **Vocabulary Flash Cards, Sheet 6**

Copy the word or phrase in the space provided. Be sure to include the article for each noun.

perdonar *perdonar*	**ponerse de acuerdo** *ponerse* *de* *acuerdo*	**¡Qué va!** *¡Qué* *va!*
reaccionar *reaccionar*	**reconciliarse** *reconciliarse*	**reconocer** *reconocer*
resolver *resolver*	**tener la culpa** *tener* *la* *culpa*	**¡Yo no fui!** *¡Yo* *no* *fui!*

Realidades 3 | Nombre ____ | Hora ____

Capítulo 4 | Fecha ____ | **Vocabulary Flash Cards, Sheet 7**

Copy the word or phrase in the space provided. Be sure to include the article for each noun. The blank cards can be used to write and practice other Spanish vocabulary for the chapter.

sorprenderse *sorprenderse*	**temer** *temer*	**tener celos** *tener* *celos*
tener en común *tener* *en* *común*		

Realidades 3 — Capítulo 4

Nombre ____ Hora ____

Fecha ____

Vocabulary Check, Sheet 5

Tear out this page. Write the English words on the lines. Fold the paper along the dotted line to see the correct answers so you can check your work.

acusar	***to accuse***
la armonía	***harmony***
atreverse	***to dare***
colaborar	***to collaborate***
el comportamiento	***behaviour***
el conflicto	***conflict***
criticar	***to criticize***
la diferencia de opinión	***difference of opinion***
estar equivocado, equivocada	***to be mistaken***
la explicación	***explanation***
hacer caso	***to pay attention; to obey***
hacer las paces	***to make peace***
ignorar	***to ignore***
el malentendido	***misunderstanding***

Fold In

Realidades 3 — Capítulo 4

Nombre ____ Hora ____

Fecha ____

Vocabulary Check, Sheet 6

Tear out this page. Write the Spanish words on the lines. Fold the paper along the dotted line to see the correct answers so you can check your work.

to accuse	***acusar***
harmony	***la armonía***
to dare	***atreverse***
to collaborate	***colaborar***
behaviour	***el comportamiento***
conflict	***el conflicto***
to criticize	***criticar***
difference of opinion	***la diferencia de opinión***
to be mistaken	***estar equivocado, equivocada***
explanation	***la explicación***
to pay attention; to obey	***hacer caso***
to make peace	***hacer las paces***
to ignore	***ignorar***
misunderstanding	***el malentendido***

Fold In

 Vocabulary Check, Sheet 7

Tear out this page. Write the English words on the lines. Fold the paper along the dotted line to see the correct answers so you can check your work.

mejorar	***to improve***
pedir perdón	***to ask for forgiveness***
la pelea	***fight***
pensar en sí mismo, misma	***to think of oneself***
perdonar	***to forgive***
ponerse de acuerdo	***to reach an agreement***
reaccionar	***to react***
reconciliarse	***to become friends again***
reconocer	***to admit; to recognize***
resolver (*o→ue*)	***to resolve***
tener la culpa	***to be guilty***
¡Qué va!	***No way!***
¡Yo no fui!	***It was not me!***

Fold In ←

 Vocabulary Check, Sheet 8

Tear out this page. Write the Spanish words on the lines. Fold the paper along the dotted line to see the correct answers so you can check your work.

to improve	***mejorar***
to ask for forgiveness	***pedir perdón***
fight	***la pelea***
to think of oneself	***pensar en sí mismo, misma***
to forgive	***perdonar***
to reach an agreement	***ponerse de acuerdo***
to react	***reaccionar***
to become friends again	***reconciliarse***
to admit; to recognize	***reconocer***
to resolve	***resolver (o→ue)***
to be guilty	***tener la culpa***
No way!	***¡Qué va!***
It was not me!	***¡Yo no fui!***

Fold In ←

Mandatos con *nosotros* (p. 182)

- You can express **nosotros** commands two different ways in Spanish. The English equivalent of a **nosotros** command is *"Let's . . ."*
  One way is to use **Vamos** + **a** + infinitive.
  Vamos a bailar. *Let's dance.*
  Another way is to use to the **nosotros** form of the subjunctive.
  Bailemos. *Let's dance.*
- Remember that **-ir** stem-changing verbs change **o→u** or **e→i** in the **nosotros** form.
  Durmamos aquí. *Let's sleep here.*
- Remember that verbs ending in **-car**, **-gar**, and **-zar** change spelling in the subjunctive.
  Juguemos a las cartas. *Let's play cards.*

A. Read each of the following statements about Juanita and her best friend. Decide if each statement tells what they normally do, or if it's a suggestion. Follow the model.

Modelo Guardemos los secretos.
☐ normalmente ☑ sugerencia

1. Tenemos mucho en común.
   ☑ normalmente ☐ sugerencia
2. Resolvamos los problemas.
   ☐ normalmente ☑ sugerencia
3. Celebramos los días festivos juntos.
   ☑ normalmente ☐ sugerencia
4. Seamos honestas.
   ☐ normalmente ☑ sugerencia
5. Llevemos ropa parecida.
   ☐ normalmente ☑ sugerencia
6. Comamos en un restaurante.
   ☐ normalmente ☑ sugerencia
7. No peleamos.
   ☑ normalmente ☐ sugerencia
8. No mintamos a los profesores.
   ☐ normalmente ☑ sugerencia
9. No critiquemos a los demás.
   ☐ normalmente ☑ sugerencia
10. Hagamos las paces.
   ☐ normalmente ☑ sugerencia

B. Write the **nosotros** commands for each verb given. Follow the model.

Modelo (salir) *salgamos*

1. (pedir) ***pidamos***
2. (mentir) ***mintamos***
3. (almorzar) ***almorcemos***
4. (jugar) ***juguemos***
5. (repetir) ***repitamos***
6. (tener) ***tengamos***

C. Marisa is suggesting that she and Josefina do the same things. Write the suggestion Marisa gives, using **nosotros** commands. Follow the model.

Modelo Josefina, no *miremos* la tele hoy.

1. Josefina, ***escuchemos*** la música clásica.
2. Josefina, ***demos*** una explicación cuando tenemos un malentendido.
3. Josefina, ***cantemos*** en el coro.
4. Josefina, ***hagamos*** la tarea juntas.

- When you use a direct or indirect object pronoun with an affirmative **nosotros** command, attach it to the end of the verb.
  *Resolvamos el problema. Resolvámos**lo**.*
- With a negative **nosotros** command, place the object pronoun in front of the verb.
  *No **le** digamos el secreto al chico chismoso.*

D. Each time your parents make a suggestion, respond with an opposite suggestion. Replace the underlined word in each sentence with a direct object pronoun in your answer. Follow the model.

Modelo MAMÁ: Celebremos el cumpleaños de tu abuelita.
TÚ: *No lo celebremos.*

1. PAPÁ: Limpiemos el garaje.
   TÚ: ***No lo limpiemos.***
2. MAMÁ: Escuchemos música clásica.
   TÚ: ***No la escuchemos.***
3. PAPÁ: Hagamos las paces.
   TÚ: ***No las hagamos.***
4. MAMÁ: Pidamos perdón.
   TÚ: ***No lo pidamos.***

- When the reflexive or reciprocal pronoun **nos** is used in an affirmative **nosotros** command, the final **-s** of the command is dropped before the pronoun. A written accent is added to maintain stress, usually on the third-to-last vowel.
  *Contémo**nos** los secretos.* *Divirtámo**nos**.*

E. Complete each sentence using the **nosotros** command of the reflexive verb.

Modelo (vestirse) *Vistámonos*.

1. (cepillarse) ***Cepillémonos*** los dientes.
2. (ponerse) ***Pongámonos*** los zapatos.
3. (ducharse) ***Duchémonos***.
4. (lavarse) ***Lavémonos*** las manos.

Pronombres posesivos (p. 184)

- Possessive pronouns help you avoid repetition in conversation by replacing nouns. They are usually preceded by a definite article, and must have the same gender and number as the nouns they replace.

  Mi mejor amiga es muy sincera. ¿Cómo es *la tuya?*
  My best friend is very sincere. What is yours *like?*

  El padre de José es tan comprensivo como *el mío.*
  José's father is as understanding as mine.

  Below are the possessive pronouns in Spanish.

  el mío / la mía / los míos / las mías: *mine*
  el tuyo / la tuya / los tuyos / las tuyas: *yours*
  el suyo / la suya / los suyos / las suyas:
  his / hers / yours (sing. formal or plural) / theirs
  el nuestro / la nuestra / los nuestros / las nuestras: *ours*
  el vuestro / la vuestra / los vuestros / las vuestras: *yours (plural)*

A. Write the letter of the question that would most logically follow each statement below. The pronoun in the question should agree in gender and number with the underlined noun. The first one is done for you.

B	1. Mis padres son muy serios.	A. ¿Y el suyo?
E	2. Mi mamá es cariñosa.	~~B. ¿Y los tuyos?~~
D	3. Mis amigas son deportistas.	C. ¿Y la suya?
A	4. Nuestro hermano es chismoso.	D. ¿Y las tuyas?
F	5. Nuestras amigas no nos hacen caso.	E. ¿Y la tuya?
C	6. Nuestra jefa colabora con nosotros.	F. ¿Y las suyas?

- When the verb **ser** is used with a possessive pronoun, the definite article is commonly left out.

  *Esos textos son **nuestros**.* *Esa calculadora es **mía**.*

B. Write the letter of the phrase that is the best completion for each statement. The first one is done for you.

B	1. La corbata...	A. ...son suyos.
C	2. El traje de baño...	~~B. ...es mía.~~
A	3. Los anteojos...	C. ...es tuyo.
D	4. Las joyas...	D. ...son nuestras.

C. The following pairs of statements are opposites. Complete the sentences with the correct form of the possessive pronoun **mío** or **tuyo**. Follow the models.

Modelos Tu familia es unida. La mía es independiente.
Mi casa es pequeña. La tuya es grande.

1. Tus hermanas son divertidas. **Las míos** son aburridas.
2. Mi computadora es vieja. **La tuya** es moderna.
3. Tus libros son grandes. **Los míos** son pequeños.
4. Mis padres son atléticos. **Los tuyos** son poco atléticos.
5. Mi perro es gordísimo. **El tuyo** es flaquito.
6. Tu carro es nuevo. **El mío** es viejo.

D. Create complete sentences by modifying the possessive pronoun, if necessary, to agree in gender and number with the noun it respresents. Follow the model.

Modelo Los libros / de Cervantes / son / nuestro
Los libros de Cervantes son nuestros.

1. Las flores / bonitas / son / mío
   Las flores bonitas son mías.
2. La culpa / es / tuyo
   La culpa es tuya.
3. Esas / pinturas / de Velázquez / son / suyo
   Esas pinturas de Velázquez son suyas.
4. Los / zapatos / son / nuestro
   Los zapatos son nuestros.
5. El perro / es / suyo
   El perro es suyo.
6. La tarea / de / español / es / nuestro
   La tarea de español es nuestra.

Realidades 3 Nombre ____ Hora ____

Capítulo 4 Fecha ____ **Reading Activities, Sheet 1**

Puente a la cultura (pp. 186–187)

A. Scan the reading for names of people, and match each of the following artists with the type of art they made or make. (Hint: you will use one letter more than once!)

1. _B_ Diego Rivera
2. _B_ Judith Francisca
3. _A_ Augustín Lara
4. _C_ Juana de Ibarbouru

A. la música

B. la pintura

C. la literatura

B. Look at the sentence starters below. Circle the best completion for each sentence based on each section of the reading. Use the reading subtitles to help you.

1. La pintura en murales ha sido otra forma de expresión artística...
   (a.) del amor. **b.** de la madre. **c.** de gente famosa.
2. La fuente de inspiración de la mayoría de sus [de Agustín Lara] canciones fue...
   a. el amor a la pintura. **b.** el amor a México. (c.) el amor a la mujer.
3. De todas las formas de expresar el amor en la literatura... la más apropiada es...
   (a.) la poesía. **b.** el drama. **c.** la naturaleza.

C. Look at the poem entitled "*Amor*" from your reading. Circle the words in the poem that have to do with nature.

El amor es fragante como un ramo de (rosas).
Amando se poseen todas las (primaveras).
Eros (god of love) trae en su aljaba (quiver) las (flores) olorosas
De todas las (umbrías) (shady areas) y todas las (praderas) (grasslands).

Realidades 3 Nombre ____ Hora ____

Capítulo 4 Fecha ____ **Reading Activities, Sheet 2**

Lectura (pp. 192–195)

A. You are about to read several poems about love and friendship. In the spaces provided, write three adjectives in Spanish that you associate with love and friendship. Think of ideals you might expect to see expressed in the poems. Use the models to get you started.

comprensivo ____ *íntima* ____ ____

Possible answers: amable, cariñoso, emocionante, especial, feliz, fuerte, sincero

B. Match each of the important vocabulary words with its synonym or definition. These words are from the two poems: *Poema No. 15*, on page 192, and *Homenaje a los padres chicanos* on page 193.

1. _D_ callarse
2. _G_ mariposa
3. _B_ voz
4. _H_ melancolía
5. _E_ sagrado
6. _A_ costumbre
7. _C_ fe
8. _F_ venerar
9. _I_ chicano

A. tradición

B. lo que se oye cuando una persona habla

C. lo que tienes cuando crees en algo

D. no hablar

E. de muchísima importancia

F. respetar mucho y amar

G. un insecto bonito

H. la tristeza fuerte

I. mexicano americano

C. Circle the responses in parentheses that best complete the main ideas about the first two poems.

"Poema No. 15"

1. Al poeta le gusta que su novia (hable mucho / (no hable mucho)) porque ((así él la aprecia más) / ella no dice muchas cosas importantes).

"Homenaje a los padre chicanos"

2. El poeta quiere ilustrar que ((es importante expresar el amor por los padres) / los padres deben amar más a sus hijos) aunque en la cultura (gringa / (chicana)) no es tan común hacerlo.

D. Look at the following sets of key lines from each poem on page 194 and circle the phrase that best conveys the meaning of each quotation.

"Rimas"

1. *"Poesía ... eres tú."*

   a. La mujer escribe poesía como profesión.

   (b.) La mujer y la poesía son cosas bellas e imposibles de describir.

"El amor en preguntas"

2. *"¿Qué es necesario para ser amado,*
   para entender la vida y saber soñar?"

   (a.) Todos buscan el amor, pero a veces es difícil encontrarlo.

   b. El amor sólo existe en los sueños.

"Como tú"

3. *"Creo que el mundo es bello,*
   que la poesía es como el pan, de todos."

   (a.) La poesía es universal y crea conexiones entre las personas.

   b. Hay mucha hambre y pobreza en el mundo, y la poesía no ayuda con los problemas.

E. Roque Dalton named his poem *"Cómo tú"* because it is a comparison of himself with another person. Read the poem on page 194 and check off which of the following are comparisons Dalton actually uses in the poem.

✔ "amo el amor, la vida"
✔ "[amo] el paisaje celeste de los días de enero"
___ "[amo] la poesía de ti"
✔ "creo que el mundo es bello"
___ "[creo que] los suspiros son aire"
✔ "[creo que] la poesía es como el pan"

El participio presente (p. 201)

- The present participle is used to talk about actions that are in progress at the moment of speaking. To form the present participle of **-ar** verbs, add **-ando** to the stem. For **-er** and **-ir** verbs, add **-iendo** to the stem.

  cantar: cant**ando** insistir: insist**iendo** tener: ten**iendo**

- The present participle is frequently combined with the present tense of **estar** to talk about what someone *is doing*, or with the imperfect of **estar** to talk about what someone *was doing*.

  Estoy cort*ando* el césped. *I am mowing the lawn.*
  Los niños estaban hac*iendo* sus quehaceres. *The kids were doing their chores.*

A. Write the ending of the present participle for each of the following verbs to say what the following people are doing while you're at school. Follow the model.

Modelo (sacar) El fotógrafo está sac*ando* fotos.

1. (**trabajar**) El agente de viajes está trabaj***ando*** en su oficina.
2. (**beber**) El entrenador está beb***iendo*** agua.
3. (**hacer**) El científico está hac***iendo*** un experimento.
4. (**escribir**) El reportero está escrib***iendo*** un artículo.

- Only **-ir** stem-changing verbs change in the present participle. In the present participle, the **e** changes to **i** and the **o** changes to **u**.

  serv**ir**: s*i*rviendo dorm**ir**: d*u*rmiendo desped**ir**: desp*i*diendo

B. Write the present participles of the verbs in the chart below. The first row has been done for you. Remember that **-ar** and **-er** stem-changing verbs have no stem changes in the present participle.

-ar, -er	present participle	-ir	present participle
jugar	*jugando*	divertir	*divirtiendo*
sentar	1. ***sentando***	sentir	5. ***sintiendo***
contar	2. ***contando***	morir	6. ***muriendo***
volver	3. ***volviendo***	preferir	7. ***prefiriendo***
perder	4. ***perdiendo***	dormir	8. ***durmiendo***

C. Complete the sentences with the present progressive of the verb given (**estar** + *present participle*) to say what the following people are doing. Follow the model.

Modelo (**decir**) Yo *estoy* *diciendo* la verdad.

1. (**dormir**) Tú no ***estás*** ***durmiendo*** .
2. (**pedir**) Ellos no ***están*** ***pidiendo*** una pizza.
3. (**contar**) Nosotros ***estamos*** ***contando*** chistes.
4. (**resolver**) Yo ***estoy*** ***resolviendo*** problemas de matemáticas.

- A spelling change occurs in the present participle of the verbs **ir, oír,** and verbs ending in **-aer, -eer,** and **-uir.** The ending becomes **-yendo.**
  - creer: cre**yendo** — oír: o**yendo** — caer: ca**yendo**
  - construir: constru**yendo** — ir: **yendo**

D. Complete the following sentences with the present progressive. Remember to use the verb **estar** along with the verb provided. Follow the model.

Modelo Mis padres *están* *trayendo* (**traer**) el perro al veterinario.

1. El asistente ***está*** ***oyendo*** (**oír**) las instrucciones del dentista.
2. La reportera dice que ***está*** ***cayendo*** (**caer**) granizo y que ***está*** ***destruyendo*** (**destruir**) los coches de muchas personas.
3. Las vendedoras ***están*** ***leyendo*** (**leer**) las etiquetas de la ropa.
4. Nadie ***está*** ***creyendo*** (**creer**) lo que dice el atleta egoísta.

- In the progressive tenses, reflexive or object pronouns can be placed before the verb **estar**, or they can be attached to the end of the present participle. If they are attached to the present participle, a written accent is needed to maintain stress (usually over the third-to-last vowel).
  - *El bombero está ayudándo**me**.* or *El bombero **me** está ayudando.*

E. The sentences below each have a phrase using the present progressive tense and a pronoun. Each phrase is underlined. In the space provided, write the phrase in a different way, using what you learned about placement of pronouns. Follow the model.

Modelo No puedo hablar porque me estoy cepillando los dientes. *estoy cepillándome*

1. Mis abuelos nos están felicitando por la graduación. ***están felicitándonos***
2. A Juan no le gusta el postre, pero está comiéndolo. ***lo está comiendo***
3. Mi hermano está en el baño. Está lavándose las manos. ***Se está lavando***
4. Mi profesora me está dando este libro para estudiar. ***está dándome***

Dónde van los pronombres reflexivos y de complemento (p. 203)

- Deciding where to put object and reflexive pronouns can sometimes be confusing. Here is a summary of some of these rules.
- When a sentence contains two verbs in a row, as with a present participle or infinitive, the pronoun may be placed either in front of the first verb or be attached to the second verb. Note that the second example is negative.
  - ***Nos** vamos a duchar.* or *Vamos a duchar**nos**.*
  - *No **nos** vamos a duchar.* or *No vamos a duchar**nos**.*
- Adding a pronoun to the end of a present participle requires a written accent mark, while adding a pronoun to the end of an infinitive does not.
  - *Estoy pagándo**le**.* *Voy a pagar**le**.*

A. Rewrite each phrase using the pronoun in parentheses in two different ways. In column A, place the pronouns before the first verb. In column B, attach them to the second verb. Remember, if you add a pronoun to the end of a present participle, you need to include an accent mark. Follow the model.

		A	B
Modelo	van a regalar (me)	*me van a regalar*	*van a regalarme*
1.	vamos a dar (le)	***le vamos a dar***	***vamos a darle***
2.	debo encontrar (lo)	***lo debo encontrar***	***debo encontrarlo***
3.	estamos registrando (nos)	***nos estamos registrando***	***estamos registrándonos***
4.	van a dormir (se)	***se van a dormir***	***van a dormirse***

- When you give an affirmative command, you must attach any pronouns to the end of the verb and add an accent mark if the verb has two or more syllables.
  - *Permíte**lo**.* *Ganémos**las**.*
- In negative commands, place the pronoun between **no** and the verb. No written accent mark is needed.
  - *No **lo** hagan.* *No **te** laves el pelo ahora.*

B. Combine the following affirmative commands and pronouns. Remember to write an accent mark on the stressed syllable. Follow the model.

Modelo lava + te = *lávate*

1. ponga + se = ***póngase***
2. vean + los = ***véanlos***
3. despierten + se = ***despiértense***
4. ayuden + me = ***ayúdenme***
5. consigamos + la = ***consigámosla***

Realidades 3 Nombre ______ Hora ______

Capítulo 5 Fecha ______ **AVSR, Sheet 4**

C. For each question, write an answer using one of the affirmative **tú** commands with the correct direct object pronoun (**lo, la, los, las**). Use the word bank to help you choose the correct forms. Add accents as needed. Follow the model.

haz	pide	~~cocina~~	enciende	trae	pon

Modelo ¿Cocino el pavo? Sí, *cocínalo*.

1. ¿Enciendo las velas? Sí, ***enciéndelas***.
2. ¿Pido unas flores? Sí, ***pídelas***.
3. ¿Hago el menú? Sí, ***hazlo***.
4. ¿Pongo la mesa? Sí, ***ponla***.
5. ¿Traigo una botella de vino? Sí, ***tráela***.

D. Write the negative command that corresponds to each affirmative command below. Follow the model.

Modelo Córtense las uñas. No *se* *corten* el pelo.

1. Vístanse con la ropa suya. No ***se*** ***vistan*** con la ropa de sus amigos.
2. Pónganse las chaquetas. No ***se*** ***pongan*** las joyas.
3. Báñense por la tarde. No ***se*** ***bañen*** por la mañana.
4. Levántense a los ocho. No ***se*** ***levanten*** tarde.
5. Cepíllense los dientes. No ***se*** ***cepillen*** los dedos.

Go Online WEB CODE jed-0501 PHSchool.com

Realidades 3 Nombre ______ Hora ______

Capítulo 5 Fecha ______ **Vocabulary Flash Cards, Sheet 1**

Write the Spanish vocabulary word below each picture. If there is a word or phrase, copy it in the space provided. Be sure to include the article for each noun.

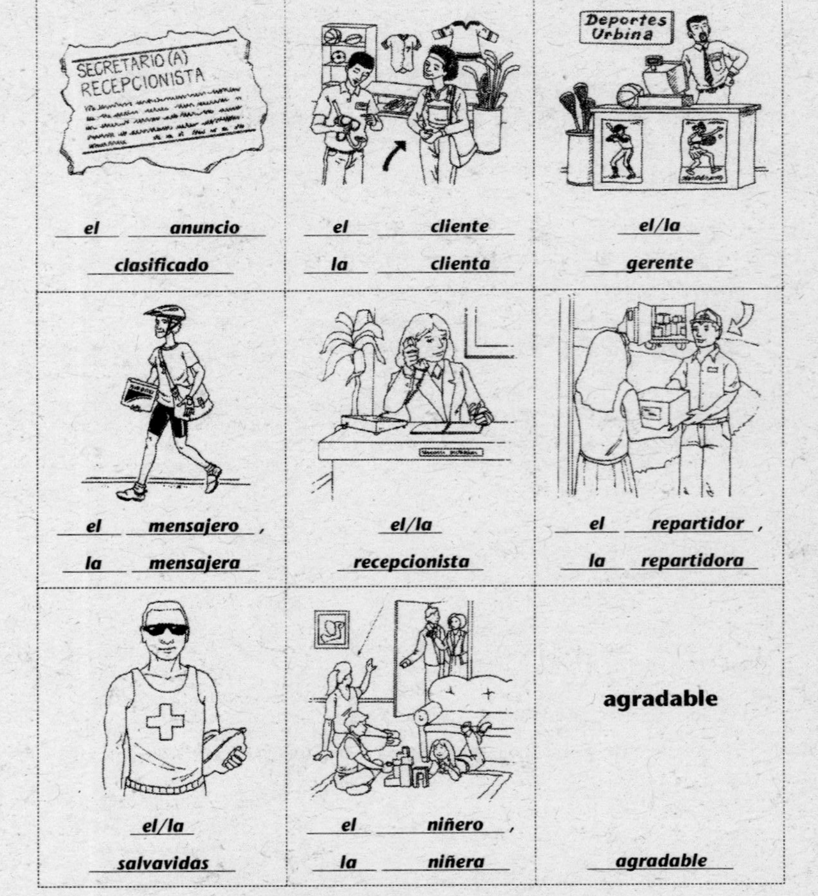

Realidades 3 | Nombre ____ | Hora ____

Capítulo 5 | Fecha ____ | **Vocabulary Flash Cards, Sheet 2**

Copy the word or phrase in the space provided. Be sure to include the article for each noun.

atender *atender*	**a tiempo completo** *a* *tiempo* *completo*	**a tiempo parcial** *a* *tiempo* *parcial*
beneficiar *beneficiar*	**los beneficios** *los* *beneficios*	**la compañía** *la* *compañía*
la computación *la* *computación*	**el consejero, la consejera** *el* *consejero*, *la* *consejera*	**los conocimientos** *los* *conocimientos*

Realidades 3 | Nombre ____ | Hora ____

Capítulo 5 | Fecha ____ | **Vocabulary Flash Cards, Sheet 3**

Copy the word or phrase in the space provided. Be sure to include the article for each noun.

cumplir con *cumplir* *con*	**dedicado, dedicada** *dedicado*, *dedicada*	**el dueño, la dueña** *el* *dueño*, *la* *dueña*
encargarse (de) *encargarse (de)*	**la entrevista** *la* *entrevista*	**la fecha de nacimiento** *la* *fecha* *de* *nacimiento*
flexible *flexible*	**la habilidad** *la* *habilidad*	**el puesto** *el* *puesto*

Nombre ______ Hora ______

Fecha ______

Vocabulary Flash Cards, Sheet 4

Copy the word or phrase in the space provided. Be sure to include the article for each noun.

puntual *puntual*	**presentarse** *presentarse*	**reparar** *reparar*
la referencia *la* *referencia*	**repartir** *repartir*	**el salario** *el* *salario*
seguir *seguir*	**solicitar** *solicitar*	**la solicitud de empleo** *la* *solicitud* *de* *empleo*

Nombre ______ Hora ______

Fecha ______

Vocabulary Flash Cards, Sheet 5

These blank cards can be used to write and practice other Spanish vocabulary for the chapter.

______	______	______
______	______	______
______	______	______

Realidades 3 | Capítulo 5

Nombre ____ Hora ____

Fecha ____

Vocabulary Check, Sheet 1

Tear out this page. Write the English words on the lines. Fold the paper along the dotted line to see the correct answers so you can check your work.

a tiempo completo	***full time***
a tiempo parcial	***part time***
agradable	***pleasant***
el anuncio clasificado	***classified ad***
atender	***to help, assist***
los beneficios	***benefits***
el cliente, la clienta	***client***
la compañía	***firm/company***
el consejero, la consejera	***counselor***
los conocimientos	***knowledge***
cumplir con	***to carry out, to perform***
dedicado, dedicada	***dedicated***
el dueño, la dueña	***owner***
encargarse (de)	***to be in charge (of)***
la entrevista	***interview***
la fecha de nacimiento	***date of birth***
el/la gerente	***manager***
la habilidad	***skill***

Fold In

Realidades 3 | Capítulo 5

Nombre ____ Hora ____

Fecha ____

Vocabulary Check, Sheet 2

Tear out this page. Write the Spanish words on the lines. Fold the paper along the dotted line to see the correct answers so you can check your work.

full time	***a tiempo completo***
part time	***a tiempo parcial***
pleasant	***agradable***
classified ad	***el anuncio clasificado***
to help, assist	***atender***
benefits	***los beneficios***
client	***el cliente, la clienta***
firm/company	***la compañía***
counselor	***el consejero, la consejera***
knowledge	***los conocimientos***
to carry out, to perform	***cumplir con***
dedicated	***dedicado, dedicada***
owner	***el dueño, la dueña***
to be in charge (of)	***encargarse (de)***
interview	***la entrevista***
date of birth	***la fecha de nacimiento***
manager	***el/la gerente***
skill	***la habilidad***

Fold In

Realidades 3 | Nombre ____ Hora ____

Capítulo 5 | Fecha ____ **Vocabulary Check, Sheet 3**

Tear out this page. Write the English words on the lines. Fold the paper along the dotted line to see the correct answers so you can check your work.

el mensajero, la mensajera	***messenger***
el niñero, la niñera	***babysitter***
presentarse	***to apply for a job***
repartir	***to deliver***
el puesto	***position***
puntual	***punctual***
el/la recepcionista	***receptionist***
reparar	***to repair***
el repartidor, la repartidora	***delivery person***
el requisito	***requirement***
la responsabilidad	***responsibility***
el salario	***salary***
el/la salvavidas	***lifeguard***
seguir (+ *gerund*)	***to keep on (doing)***
soler (*o*→*ue*)	***to usually do something***
la solicitud de empleo	***job application***
solicitar	***to request***

Fold In ←

Realidades 3 | Nombre ____ Hora ____

Capítulo 5 | Fecha ____ **Vocabulary Check, Sheet 4**

Tear out this page. Write the Spanish words on the lines. Fold the paper along the dotted line to see the correct answers so you can check your work.

messenger	***el mensajero, la mensajera***
babysitter	***el niñero, la niñera***
to apply for a job	***presentarse***
to deliver	***repartir***
position	***el puesto***
punctual	***puntual***
receptionist	***el/la recepcionista***
to repair	***reparar***
delivery person	***el repartidor, la repartidora***
requirement	***el requisito***
responsibility	***la responsabilidad***
salary	***el salario***
lifeguard	***el/la salvavidas***
to keep on (doing)	***seguir (+ gerund)***
to usually do something	***soler (o→ue)***
job application	***la solicitud de empleo***
to request	***solicitar***

Fold In ←

Go Online WEB CODE jed-0502 PHSchool.com

El presente perfecto (p. 214)

- In Spanish, the *present perfect* tense is used to talk about what someone *has done* in the past without necessarily telling the time when they did it.
  Yo *he trabajado* en una tienda de bicicletas. *I have worked at a bicycle store.*
- The present perfect is formed by using the present tense forms of the irregular verb **haber** plus the *past participle* of another verb. Remember that the past participle is formed by adding **-ado** to the stem of an **-ar** verb or **-ido** to the stem of an **-er** or **-ir** verb. Below is the verb **cantar** conjugated in the present perfect.

cantar	
he cantado	hemos cantado
has cantado	habéis cantado
ha cantado	han cantado

Notice that each conjugation has two parts, and that the second part (in this case, **cantado**) is the same in all forms.

- Remember that direct and indirect object pronouns, reflexive pronouns, and negative words are placed before the first part of the conjugation.
  ***Me** he encargado del trabajo.* or ***No se** ha afeitado todavía.*

A. Complete the sentences with the correct form of the verb **haber**. The first one has been done for you.

1. Yo *he* comido.
2. Ellas ***han*** trabajado.
3. Nosotros ***hemos*** permitido.
4. José ***ha*** aprendido.
5. Tú te ***has*** dormido.
6. Yo me ***he*** lavado.
7. María no se ***ha*** presentado.
8. Nosotros no lo ***hemos*** repartido.

B. Complete each sentence with the correct present perfect form of the verb. Follow the model. Note that the past participle always ends in **-o**.

Modelo Margarita Arroyo *ha* *repartido* pizzas. **(repartir)**

1. El Sr. Flores ***ha*** ***cuidado*** a los niños de sus vecinos. **(cuidar)**
2. Las empleadas ***han*** ***tenido*** experiencia con la computación. **(tener)**
3. Marisol y yo ***hemos*** ***tomado*** muchas clases de arte. **(tomar)**
4. ¿Uds. ***han*** ***solicitado*** un trabajo? **(solicitar)**
5. Yo ***he*** ***reparado*** computadoras. **(reparar)**
6. Y tú, ¿***has*** ***cumplido*** con tu trabajo? **(cumplir)**

El presente perfecto (*continued*)

- Verbs that end in **-aer**, **-eer**, and **-eír**, as well as the verb **oír**, have a written accent mark on the ***i*** in the past participle.
  leer: leído oír: oído
  sonreír: sonreído caer: caído
  Verbs that end in **-uir** do not get a written accent mark in the past participle.

C. Complete the following sentences with the present perfect of the verb. **¡Cuidado!** Remember that verbs that end in **-uir** do not require an accent mark. Follow the model.

Modelo (Yo) *he* *leído* los anuncios clasificados. **(leer)**

1. Tú ***has*** ***oído*** que esta compañía es buena. **(oír)**
2. Mateo Ortega se ***ha*** ***caído*** de su bicicleta. **(caer)**
3. La jefa ***ha*** ***incluido*** dos cartas de recomendación. **(incluir)**
4. Los hermanos García ***han*** ***construido*** una casa. **(construir)**

- Remember that several Spanish verbs have irregular past participles.
  decir: **dicho** hacer: **hecho**
  poner: **puesto** ver: **visto**
  escribir: **escrito** morir: **muerto**
  abrir: **abierto** ser: **sido**
  resolver: **resuelto** romper: **roto**
  volver: **vuelto**

D. Tell what the following job candidates have done by writing the irregular present perfect of the verb given. Follow the model.

Modelo **(escribir)** Verónica Sánchez *ha* *escrito* una descripción de todos sus trabajos.

1. Héctor Pérez y Miguel Díaz ***han*** ***dicho*** que son muy puntuales. **(decir)**
2. Juanita Sánchez y Lidia Rivera ***han*** ***puesto*** mucha información en sus solicitudes de empleo. **(poner)**
3. Raúl Ramírez y yo ***hemos*** ***roto*** un vaso en la oficina. **(romper)**
4. Marcos Ortiz ***ha*** ***abierto*** su carta de recomendación. **(abrir)**
5. Ud. ***ha*** ***resuelto*** un problema importante con su horario. **(resolver)**

El pluscuamperfecto (p. 217)

- In Spanish, the *pluperfect tense* is used to tell about an action in the past that happened *before* another action in the past. It can generally be translated with the words "had done" in English.

  Cuando los empleados llegaron a la oficina, su jefe ya *había empezado* a trabajar.
  When the employees arrived at the office, their boss had already started to work.
- You form the pluperfect tense by combining the imperfect forms of the verb **haber** with the past participle of another verb. Here are the pluperfect forms of the verb **repartir**:

había repartido	**habíamos** repartido
habías repartido	**habíais** repartido
había repartido	**habían** repartido

A. What had everyone done prior to their job interviews? Complete the sentences with the correct imperfect form of the verb **haber**. Follow the model.

Modelo El gerente *había* leído las solicitudes de empleo.

1. El dueño ***había*** hecho una lista de requisitos.
2. Las recepcionistas ***habían*** copiado las solicitudes de empleo.
3. Elena y yo ***habíamos*** traído una lista de referencias.
4. (Yo) ***Había*** practicado unas preguntas con mi mamá.
5. Y tú, ¿te ***habías*** preparado antes de la entrevista?

B. Why was Mr. Gutiérrez so nervous before beginning his first day at his new job? Complete each sentence with the correct regular past participles. Follow the model.

Modelo Había *mentido* en su solicitud de empleo (**mentir**)

1. No había ***conocido*** a los otros empleados. (**conocer**)
2. No había ***preguntado*** si había una cafetería en el edificio. (**preguntar**)
3. Había ***dado*** la dirección incorrecta en su solicitud. (**dar**)
4. No había ***dormido*** mucho. (**dormir**)
5. Había ***olvidado*** sus cartas de recomendación. (**olvidar**)

C. Complete each sentence with the pluperfect tense of the verb in parentheses to tell what people had done before their first day of work. Follow the model.

¡Cuidado! Some past participles require an accent mark and some have completely irregular forms.

Modelo (escribir) Carlos *había* *escrito* en una tarjeta todo lo que quería recordar.

1. (oír) Nosotros ***habíamos*** ***oído*** muchos comentarios positivos sobre la compañía.
2. (poner) Yo ***había*** ***puesto*** unos bolígrafos y un calendario en mi mochila.
3. (leer) Todos los nuevos empleados ***habían*** ***leído*** el manual de trabajo.
4. (decir) La jefa de la compañía ***había*** ***dicho*** "Bienvenidos a nuestra oficina."
5. (sonreír) Tú ***habías*** ***sonreído*** durante la entrevista.

D. Based on the pictures, tell what each person had done before leaving for work. You can use the verbs in the word bank to help you describe the actions.

¡Cuidado! Reflexive pronouns, object pronouns, and negative words go in front of the conjugated form of **haber** in the pluperfect.

levantarse	~~secarse~~	lavarse	afeitarse	cepillarse	ponerse

Modelo Marta *se* *había* *secado* el pelo.

1. Los gemelos ***se*** ***habían*** ***cepillado*** los dientes.
2. Lópe ***se*** ***había*** ***levantado*** temprano.
3. Yo ***me*** ***había*** ***puesto*** la camisa.
4. Tú ***te*** ***habías*** ***afeitado***.
5. Nosotros ***nos*** ***habíamos*** ***lavado*** las manos.

Realidades 3 Nombre ____ Hora ____

Capítulo 5 Fecha ____ **Vocabulary Flash Cards, Sheet 6**

Write the Spanish vocabulary word below each picture. If there is a word or phrase, copy it in the space provided. Be sure to include the article for each noun.

el *centro* *de* *rehabilitación*	*el* *centro* *de* *la* *comunidad*	*el* *comedor* *de* *beneficencia*
Se aceptan DONACIONES *donar*	*el* *hogar* *de* *ancianos*	*construir*
sembrar	*la* *marcha*	**a favor de** *a* *favor* *de*

Realidades 3 Nombre ____ Hora ____

Capítulo 5 Fecha ____ **Vocabulary Flash Cards, Sheet 6**

Copy the word or phrase in the space provided. Be sure to include the article for each noun.

la campaña *la* *campaña*	**la ciudadanía** *la* *ciudadanía*	**el ciudadano, la ciudadana** *el* *ciudadano*, *la* *ciudadana*
los derechos *los* *derechos*	**educar** *educar*	**en contra (de)** *en* *contra (de)*
garantizar *garantizar*	**la gente sin hogar** *la* *gente* *sin* *hogar*	**injusto, injusta** *injusto*, *injusta*

Realidades 3 Nombre ______ Hora ______

Capítulo 5 Fecha ______ **Vocabulary Flash Cards, Sheet 8**

Copy the word or phrase in the space provided. Be sure to include the article for each noun.

juntar fondos *juntar* *fondos*	**justo, justa** *justo*, *justa*	**la ley** *la* *ley*
la manifestación *la* *manifestación*	**el medio ambiente** *el* *medio* *ambiente*	**me encantaría** *me* *encantaría*
me es imposible *me* *es* *imposible*	**me interesaría** *me* *interesaría*	**organizar** *organizar*

Realidades 3 Nombre ______ Hora ______

Capítulo 5 Fecha ______ **Vocabulary Flash Cards, Sheet 9**

Copy the word or phrase in the space provided. Be sure to include the article for each noun. The blank cards can be used to write and practice other Spanish vocabulary for the chapter.

proteger *proteger*	**responsable** *responsable*	**la responsabilidad** *la* *responsabilidad*
el requisito *el* *requisito*	**el servicio social** *el* *servicio* *social*	**la sociedad** *la* *sociedad*
soler *soler*		

Realidades 3 — Capítulo 5

Nombre ____ Hora ____

Fecha ____ **Vocabulary Check, Sheet 5**

Tear out this page. Write the English words on the lines. Fold the paper along the dotted line to see the correct answers so you can check your work.

a favor de	***in favor of***
la campaña	***campaign***
el centro de la comunidad	***community center***
el centro de rehabilitación	***rehabilitation center***
el centro recreativo	***recreation center***
la ciudadanía	***citizenship***
el ciudadano, la ciudadana	***citizen***
el comedor de beneficencia	***soup kitchen***
construir (*i→y*)	***to build***
los derechos	***rights***
donar	***to donate***
educar	***to educate***
en contra (de)	***against***
garantizar	***to guarantee***
la gente sin hogar	***homeless people***

Fold In ↓

Realidades 3 — Capítulo 5

Nombre ____ Hora ____

Fecha ____ **Vocabulary Check, Sheet 6**

Tear out this page. Write the Spanish words on the lines. Fold the paper along the dotted line to see the correct answers so you can check your work.

in favor of	***a favor de***
campaign	***la campaña***
community center	***el centro de la comunidad***
rehabilitation center	***el centro de rehabilitación***
recreation center	***el centro recreativo***
citizenship	***la ciudadanía***
citizen	***el ciudadano, la ciudadana***
soup kitchen	***el comedor de beneficencia***
to build	***construir (i→y)***
rights	***los derechos***
to donate	***donar***
to educate	***educar***
against	***en contra (de)***
to guarantee	***garantizar***
homeless people	***la gente sin hogar***

Fold In ↓

Realidades 3 Nombre ______ Hora ______

Capítulo 5 Fecha ______ **Vocabulary Check, Sheet 7**

Tear out this page. Write the English words on the lines. Fold the paper along the dotted line to see the correct answers so you can check your work.

el hogar de ancianos	***home for the elderly***
injusto, injusta	***unfair***
juntar fondos	***to fundraise***
justo, justa	***fair***
la ley	***law***
la manifestación	***demonstration***
la marcha	***march***
el medio ambiente	***environment***
me es imposible	***It is impossible for me...***
me encantaría	***I would love to...***
me interesaría	***I would be interested...***
organizar	***to organize***
proteger	***to protect***
sembrar (*e→ie*)	***to plant***
el servicio social	***social service***
la sociedad	***society***

Fold In

Realidades 3 Nombre ______ Hora ______

Capítulo 5 Fecha ______ **Vocabulary Check, Sheet 8**

Tear out this page. Write the Spanish words on the lines. Fold the paper along the dotted line to see the correct answers so you can check your work.

home for the elderly	***el hogar de ancianos***
unfair	***injusto, injusta***
to fundraise	***juntar fondos***
fair	***justo, justa***
law	***la ley***
demonstration	***la manifestación***
march	***la marcha***
environment	***el medio ambiente***
It is impossible for me...	***me es imposible***
I would love to...	***me encantaría***
I would be interested...	***me interesaría***
to organize	***organizar***
to protect	***proteger***
to plant	***sembrar (e→ie)***
social service	***el servicio social***
society	***la sociedad***

Fold In

Go Online WEB CODE jed-0506 PHSchool.com

El presente perfecto del subjuntivo (p. 227)

- The present perfect subjunctive is used to talk about actions or situations that may have occurred before the action of the main verb. The present perfect subjunctive often follows expressions of emotion like those you used for the present subjunctive. To review present subjunctive with emotions, see pages 168–170 of your textbook.

  Es bueno que tú *hayas ayudado* en el comedor de beneficencia.

  It is good that you have helped out at the soup kitchen.

- You form the present perfect subjunctive by combining the present subjunctive of the verb **haber** with the past participle of another verb. The verb **educar** has been conjugated as an example below.

haya educado	**hayamos** educado
hayas educado	**hayáis** educado
haya educado	**hayan** educado

A. Read each sentence and underline the expression of emotion that indicates the subjunctive should be used. Then, circle the correct form of **haber** that is used in the present perfect subjunctive. Follow the model.

Modelo Me alegro de que muchos (**han** / **(hayan)**) participado en la manifestación.

1. Es bueno que estos programas (**han** / **(hayan)**) ayudado a tantas personas.
2. Me sorprende que los estudiantes (**hayas** / **(hayan)**) trabajado en el hogar de ancianos.
3. Siento que tú no (**haya** / **(hayas)**) recibido ayuda.
4. Es interesante que el presidente (**hayan** / **(haya)**) protegido los derechos de los niños.
5. A mí me gusta que nosotros (**(hayamos)** / **hayan**) sembrado árboles hoy.

B. Complete each sentence about what volunteers have done, using the present perfect of the subjunctive of the verb. Follow the model.

Modelo Es maravilloso que muchos _hayan_ _trabajado_ en el comedor de beneficencia. (**trabajar**)

1. Estamos orgullosos de que los jóvenes **_hayan_** **_participado_** en la marcha. (**participar**)
2. Es una lástima que ese político no **_haya_** **_apoyado_** el movimiento por los derechos de los ancianos. (**apoyar**)
3. Ojalá que nosotros **_hayamos_** **_cumplido_** con nuestras responsabilidades. (**cumplir**)
4. Estamos contentos de que esta organización **_haya_** **_decidido_** construir un centro recreativo nuevo. (**decidir**)

- **¡Recuerda!** Some past participles require an accent mark and some have completely irregular forms. Look back at page 61 of your workbook for a reminder of these verbs.

C. Complete each sentence with the present perfect subjunctive. Follow the model. **¡Cuidado!** The past participles used are irregular.

Modelo (**abrir**) Me alegro de que Uds. les _hayan_ _abierto_ las puertas a esas personas.

1. (**escribir**) Es excelente que tú **_hayas_** **_escrito_** una composición sobre los derechos humanos.
2. (**hacer**) Nos gusta que los enemigos **_hayan_** **_hecho_** las paces.
3. (**ver**) Espero que José **_haya_** **_visto_** el nuevo centro de la comunidad.
4. (**resolver**) Me preocupa que el gobierno no **_haya_** **_resuelto_** los problemas de la contaminación del medio ambiente.
5. (**decir**) Es triste que el presidente **_haya_** **_dicho_** que hay tanta gente sin hogar en nuestro país.

D. Create complete sentences by conjugating the verbs in the present perfect subjunctive. Follow the model.

Modelo Es una lástima / que / los estudiantes / no (**donar**) / mucha comida / a la gente pobre

Es una lástima que los estudiantes no hayan donado mucha comida a la gente pobre.

1. Es mejor / que / mi amigo / (**aprender**) / más / sobre la campaña

   Es mejor que mi amigo haya aprendido más sobre la campaña.
2. Es terrible / que / la comunidad / (**eliminar**) / unos servicios sociales

   Es terrible que la comunidad haya eliminado unos servicios sociales.
3. Nos sorprende / que / nadie / (**escribir**) / cartas / para apoyar / a los inmigrantes

   Nos sorprende que nadie haya escrito cartas para apoyar a los inmigrantes.
4. Esperamos / que / los estudiantes / (**hacer**) / sus proyectos / para beneficiar / la comunidad

   Esperamos que los estudiantes hayan hecho sus proyectos para beneficiar la comunidad.
5. El director de escuela / se alegra de / que / nosotros / (**ir**) / al centro recreativo

   El director de escuela se alegra de que nosotros hayamos ido al centro recreativo.

Los adjetivos y los pronombres posesivos (p. 229)

- In Spanish, demonstrative adjectives are used to indicate things that are near or far from the speaker. Demonstrative adjectives are placed in front of a noun and agree with the noun in gender and number.

  Este **árbol es muy alto.** *This tree is very tall.*

  Below is a list of the forms of demonstrative adjectives used to say *this/these (near you), that/those (near the person you're speaking with),* and *that/those (far away).*

this: **este, esta**	these: **estos, estas**
that (near): **ese, esa**	those (near): **esos, esas**
that (far): **aquel, aquella**	those (far): **aquellos, aquellas**

A. Your friend is telling you about several of the students below and their accomplishments. Decide which pair of students she is talking about.

1. A Estos estudiantes han construido un centro de donaciones en su escuela.
2. C Aquellos jóvenes han hecho mucho trabajo para el centro recreativo.
3. B Sé que esos muchachos juntan fondos para el medio ambiente todos los años.
4. C Aquellos chicos suelen participar en muchas marchas.
5. A ¿Han cumplido estos jóvenes con sus responsabilidades como voluntarios?

B. Circle the demonstrative adjective needed to complete each sentence.

Modelo (**Esos / Esas**) donaciones son para el centro de la comunidad.

1. ¿Adónde vas con (**estos / estas**) cajas de ropa?
2. (**Aquellas / Aquellos**) chicas tienen que solicitar más donaciones.
3. Queremos felicitar a (**ese / esos**) voluntarios.
4. Necesitan proteger (**esta / estas**) leyes.

- Demonstrative pronouns take the place of nouns. The pronouns must agree in gender and number with the nouns they replace.

  No quiero este documento. Quiero ése.
- Demonstrative pronouns all have written accent marks. Look at the list below:

  this; these: **éste, ésta; éstos, éstas**

  that; those (near the person you're speaking with): **ése, ésa; ésos, ésas**

  that; those (far away): **aquél, aquélla; aquéllos, aquéllas**

C. Underline the correct demonstrative pronoun based on the questions asked. Follow the model.

Modelo **A:** ¿Qué libro prefieres? **B:** Prefiero (**ése / ésos**) porque es para niños.

1. **A:** ¿Quieres una de las camisas? **B:** Sí, quiero (**éste / ésta**).
2. **A:** ¿Con qué grupo voy a trabajar? **B:** Vas a trabajar con (**aquél / aquella**).
3. **A:** ¿Qué casas vamos a reparar? **B:** Vamos a reparar (**aquéllas / aquél**).
4. **A:** ¿Cuál es el documento que vamos a entregar? **B:** Es (**ése / ésa**).

D. Identify the noun in the first part of the sentence that is being omitted in the second part. Circle the noun. Then, write the correct form of the demonstrative pronoun.

Modelo Me gusta esta camisa pero no me gusta *ésa* (*that one*).

1. No voy a comer esas fresas pero sí voy a comer *éstas* (*these*).
2. No pensamos comprar estos libros pero nos interesan mucho *aquéllos* (*those over there*).
3. Ellas no quieren marchar por estas calles sino por *ésas* (*those*).
4. Mis amigos van a llenar esos documentos y yo voy a llenar *éste* (*this one*).

- There are also three "neutral" demonstrative pronouns that do not have a gender or number. They refer to an idea or to something that has not yet been mentioned.

¿Qué es **eso?**	*What is* **that?**
Esto es un desastre.	**This** *is a disaster.*
¿Aquello es un centro recreativo?	*Is* **that (thing over there)** *a rec center?*

  These do not have accent marks and never appear immediately before a noun.

E. Choose whether the demonstrative adjective or the demonstrative pronoun would be used in each of the following situations. Circle your choice.

1. ¿Qué es (**este / esto**)?
2. Discutamos (**ese / eso**) más.
3. Traigamos (**aquel / aquello**) libro al centro recreativo.
4. ¿Quién ha donado (**esa / eso**) computadora?

Realidades 3 Nombre ______ Hora ______

Capítulo 5 Fecha ______ **Reading Activities, Sheet 1**

Puente a la cultura (pp. 232-233)

A. There are photos of various people mentioned in the reading in your textbook. Match the names of the people with the area of society with which they are paired.

1. _**B**_ César Chávez
2. _**B**_ Nydia Velázquez
3. _**A**_ Linda Alvarado
4. _**C**_ Dr. Severo Ochoa
5. _**B**_ Rosario Marín

A. los negocios
B. la política
C. las ciencias

B. Read the section titled **La población** on page 232 of your textbook. Say whether the following statements are true (**cierto**) or false (**falso**).

1. Más de 50 por ciento de la población de los Estados Unidos es hispano. — cierto (falso)
2. Hay casi 27 millones de hispanohablantes en los Estados Unidos. — (cierto) falso
3. Un diez por ciento de los ciudadanos de los Estados Unidos habla español. — cierto (falso)
4. Hay más hispanohablantes en los Estados Unidos que personas que hablan inglés. — cierto (falso)
5. El español influye en muchos campos de los Estados Unidos. — (cierto) falso

C. Match the three Hispanic women discussed in the sections titled **La política, Los negocios,** and **Las ciencias** with the reason for which they are considered successful.

1. _**C**_ Nydia Velázquez
2. _**A**_ Rosario Marín
3. _**B**_ Linda G. Alvarado

A. Tesorera de los Estados Unidos
B. presidenta de su propia compañía y cinco compañías más
C. primera mujer puertorriqueña en el Congreso de los Estados Unidos

Realidades 3 Nombre ______ Hora ______

Capítulo 5 Fecha ______ **Reading Activities, Sheet 2**

Lectura (pp. 238–241)

A. Look at the title of the reading and the four drawings on pages 238 to 240 in order to make predictions about what you will read. Then, place a checkmark next to the type of reading you think this will be.

______ una biografía realista

______ una leyenda imaginativa

Answers may vary, but most students should choose the second option. If they choose the first, ask them to explain their reasoning.

B. Several key words to understanding the story appear on the first page. Read the excerpts below to help you determine which of the meanings is correct for each highlighted phrase.

Lo que le molestaba a la viejita es que a aquel que veía el fruto ***le daban ganas de*** *comérselo y sin pedirle permiso se subía la* ***mata*** *y se anolaba las huayas (ate the guavas).*

1. "le daban ganas de" — (a.) querían — b. sabían
2. "mata" — (a.) árbol — b. muerte

... un viejito pedía ***limosna****, pedía aunque sea le dieran algo para comer en vez de monedas, pero nadie le* ***tomaba en cuenta****.*

3. "limosna" — (a.) dinero donado — b. bebida de frutas
4. "tomaba en cuenta" — (a.) prestaba atención — b. conocía

C. In this chapter, you learned about demonstrative pronouns. Look at the following sentence from the reading and circle the demonstrative pronoun. Then, underline the word in the sentence that the demonstrative pronoun replaces.

En la puerta de su casa había sembrado una mata de huaya, y (ésta) le daba frutos todo el año.

D. As you read the story, use the drawings to help you understand what is happening. Circle the letter of the sentence which best describes each drawing.

Dibujo #1 (p. 238)

a. La viejita tiene muchos hijos que la hacen muy feliz.

(b.) La viejita se preocupa porque unas personas se suben a su árbol para comer las frutas sin permiso.

Dibujo #2 (p. 239)

a. La Muerte quiere matar el árbol de la viejita porque es un árbol viejo.

(b.) La Muerte viene a matar a la viejita, pero no puede bajarse del árbol.

Dibujo #3 (p. 240)

(a.) La Muerte no mata a la Pobreza porque ella le permite bajarse del árbol.

b. La Muerte mata a la Pobreza, eliminándola del mundo.

E. This story has four main characters, which are listed in the word bank below. Complete the following lines from the reading in your textbook with one of the character's names.

la viejita (la Pobreza)	el viejito	la Muerte	el doctor

1. —¡Que se cumpla lo que pides! —contestó ***el viejito*** y se fue satisfecho.
2. Así pasaron muchos años y ***la Muerte*** no llegaba a nadie...
3. Un día, uno de los doctores fue a casa de ***la viejita*** y lo primero que vio fue la mata llena de frutos.
4. —Entonces, a eso se debe que no mueran las personas —dijo ***el doctor***.
5. Entonces la gente acordó cortar el árbol para que bajaran ***el doctor*** y ***la Muerte***.
6. Se fue el señor de ***la Muerte*** y ***la Pobreza*** se quedó en la tierra.

Saber vs. conocer (p. 247)

- The verbs **saber** and **conocer** both mean "to know," but they are used in different contexts.

  Saber is used to talk about knowing a fact or a piece of information, or knowing how to do something.

  *Yo **sé** que Madrid es la capital de España.*

  *Los bomberos **saben** apagar un incendio.*

  Conocer is use to talk about being acquainted or familiar with a person, place, or thing.

  *Yo **conozco** a un policía.*

  *Nosotros **conocemos** la ciudad de Buenos Aires.*

A. Read each of the following pieces of information. Decide if "knowing" each one would use the verb **saber** or the verb **conocer** and mark your answer. Follow the model.

		saber	conocer
Modelo	una actriz famosa	___	✓
1.	reparar coches	✓	___
2.	la música latina	___	✓
3.	dónde está San Antonio	✓	___
4.	la ciudad de Nueva York	___	✓
5.	el dentista de tu comunidad	___	✓
6.	cuándo es el examen final	✓	___

B. Your school recently hired a new principal. Circle the verb that best completes each statement or question about his qualifications.

Modelo ¿(**Sabes** / (**Conoces**)) la Universidad de Puerto Rico?

1. Él ((**sabe**) / **conoce**) mucho del mundo de negocios.
2. También (**sabe** / (**conoce**)) a muchos miembros de nuestra comunidad.
3. Mis padres lo (**saben** / (**conocen**)).
4. Él ((**conoce**) / **sabe**) bien nuestra ciudad.
5. Él (**conoce** / (**sabe**)) trabajar con los estudiantes y los maestros.

Realidades 3 | Capítulo 6

Nombre ______ Hora ______

Fecha ______ **AVSR, Sheet 2**

C. Complete each sentence with **conozco** or **sé**. Your sentences can be affirmative or negative, based on your own experiences. Follow the model.

Modelo *Conozco (No conozco)* bien a Jennifer López.

1. ***(No) Sé*** cuándo van a encontrar una cura contra el cáncer.
2. ***(No) Conozco*** a una mujer de negocios muy inteligente.
3. ***(No) Sé*** usar muchos programas en la computadora.
4. ***(No) Conozco*** Puerto Rico.

D. Complete the sentences below with the correct form of **saber** or **conocer** to discuss jobs and professionals in the community. Follow the model.

Modelo Patricia, tú *conoces* al veterinario, el Sr. Hernández, ¿no?

1. Sí, nosotros lo ***conocemos*** (a él) muy bien.
2. Nosotros no ***sabemos*** cuál es el nombre del gerente de esa compañía.
3. ¿***Sabes*** (tú) contar dinero tan rápidamente como ese cajero?
4. ¿***Conocen*** (Uds.) un buen sitio Web para encontrar trabajos?
5. Yo ***conozco*** al secretario de ese grupo político.
6. Esos mecánicos no ***saben*** reparar los motores de los coches.

- In the preterite, **conocer** means "to meet someone for the first time."
  *Mis padres **conocieron** al veterinario la semana pasada cuando mi gato se enfermó.*

E. Create sentences with the preterite form of **conocer** about when various people met. Follow the model.

Modelo Mi tío / conocer / al presidente / el año pasado.
Mi tío conoció al presidente el año pasado.

1. El dependiente / conocer / al dueño / hace dos años
   El dependiente conoció al dueño hace dos años.
2. Yo / conocer / a mi profesora de español / en septiembre
   Yo conocí a mi profesora de español en septiembre.
3. Nosotros / conocer / a una actriz famosa / el verano pasado
   Nosotros conocimos a una actriz famosa el verano pasado.
4. Mis amigos / conocer / al médico / el miércoles pasado
   Mis amigos conocieron al médico el miércoles pasado.

Realidades 3 | Capítulo 6

Nombre ______ Hora ______

Fecha ______ **AVSR, Sheet 3**

El *se* impersonal (p. 249)

- When speaking in English, we often say "they do (something)," "you do (something)," "one does (something)," or "people do (something)" to talk about people in general. In Spanish, you can also talk about people in an impersonal or indefinite sense. To do so, you use *se* + the **Ud./él/ella** or the **Uds./ellos/ellas** form of the verb.

  ***Se* venden videos aquí.** — *They sell videos here.*

  ***Se* pone el aceite en la sartén.** — *You put (One puts) oil in the frying pan.*

  In the sentences above, note that you don't know who performs the action. The word or words that come *after* the verb determine whether the verb is singular or plural.

A. First, underline the *impersonal se* expression in each sentence. Then, write the letter of the English translation that might be used for it from the list below. Follow the model.

A. They dance	~~**C.** They eat~~	**E.** They sell
B. One finds / You find	**D.** One talks / They talk	**F.** They celebrate

Modelo En España <u>se cena</u> muy tarde. *C*

1. En México <u>se celebran</u> muchos días festivos. ***F***
2. <u>Se encuentran</u> muchos animales en Costa Rica. ***B***
3. En Colombia <u>se habla</u> mucho de los problemas políticos. ***D***
4. <u>Se baila</u> el tango en Argentina. ***A***
5. En Perú <u>se venden</u> muchas artesanías indígenas. ***E***

B. Choose the correct verb to complete each description of services offered at the local community center. Follow the model.

Modelo Se (**(habla)** / **hablan**) español.

1. Se (**vende** / **(venden)**) refrescos.
2. Se (**(ofrece)** / **ofrecen**) información.
3. Se (**mejora** / **(mejoran)**) las vidas.
4. Se (**(sirve)** / **sirven**) café.
5. Se (**toma** / **(toman)**) clases de arte.
6. Se (**construye** / **(construyen)**) casas para la gente sin hogar.

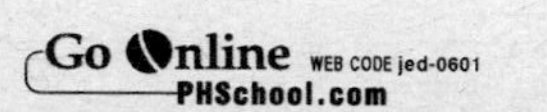

Realidades 3 Nombre ______ Hora ______

Capítulo 6 Fecha ______ **AVSR, Sheet 4**

C. Combine the verbs and objects given to create sentences using **se**. Follow the model.

Modelo reparar / videocaseteras *Se reparan videocaseteras.*

1. beber / agua ***Se bebe agua.***
2. eliminar / contaminantes ***Se eliminan contaminantes.***
3. vender / ropa ***Se vende ropa.***
4. servir / comida ***Se sirve comida.***
5. sembrar / plantas ***Se siembran plantas.***
6. leer / poemas ***Se leen poemas.***

- When the word following the conjugated verb in an *impersonal se* expression is an infinitive, the verb form is singular.

  ***Se necesita* encontrar un apartamento.** *One needs to find an apartment.*

D. Use the *impersonal **se*** with the two verbs given to create sentences. Use the singular form of the first verb and the infinitive of the second verb. Follow the model.

Modelo (**necesitar / proteger**) la naturaleza

Se necesita proteger la naturaleza.

1. (**poder / beneficiar**) del aire fresco

   Se puede beneficiar del aire fresco.
2. (**deber / eliminar**) el estrés

   Se debe eliminar el estrés.
3. (**acabar de / terminar**) la página web

   Se acaba de terminar la página web.
4. (**no necesitar / construir**) la casa

   No se necesita construir la casa.
5. (**poder / cambiar**) la vida

   Se puede cambiar la vida.

Go Online WEB CODE jed-0601 PHSchool.com

Realidades 3 Nombre ______ Hora ______

Capítulo 6 Fecha ______ **Vocabulary Flash Cards, Sheet 1**

Write the Spanish vocabulary word below each picture. Be sure to include the article for each noun.

el abogado, ***la abogada***	***el banquero,*** ***la banquera***	***el científico,*** ***la científica***
el cocinero, ***la cocinera***	***el diseñador,*** ***la diseñadora***	***el hombre de negocios***
el juez, ***la jueza***	***el redactor,*** ***la redactora***	***el peluquero,*** ***la peluquera***

Realidades 3 Nombre ____ Hora ____

Capítulo 6 Fecha ____ **Vocabulary Flash Cards, Sheet 2**

Write the Spanish vocabulary word below each picture. If there is a word or phrase, copy it in the space provided. Be sure to include the article for each noun.

graduarse	*el* *arquitecto*, *la* *arquitecta*	**además de** — *además* *de*
ahorrar — *ahorrar*	**ambicioso, ambiciosa** — *ambicioso*, *ambiociosa*	**así que** — *así* *que*
averiguar — *averiguar*	**capaz** — *capaz*	**casado, casada** — *casado*, *casada*

Realidades 3 Nombre ____ Hora ____

Capítulo 6 Fecha ____ **Vocabulary Flash Cards, Sheet 3**

Copy the word or phrase in the space provided. Be sure to include the article for each noun.

el contador, la contadora — *el* *contador*, *la* *contadora*	**cuidadoso, cuidadosa** — *cuidadoso*, *cuidadosa*	**dedicarse a** — *dedicarse* *a*
desempeñar un cargo — *desempeñar* *un* *cargo*	**diseñar** — *diseñar*	**eficiente** — *eficiente*
emprendedor, emprendedora — *emprendedor*, *emprendedora*	**la empresa** — *la* *empresa*	**las finanzas** — *las* *finanzas*

Realidades 3 Nombre ______ Hora ______

Capítulo 6 Fecha ______ **Vocabulary Flash Cards, Sheet 4**

Copy the word or phrase in the space provided. Be sure to include the article for each noun.

hacerse *hacerse*	**haré lo que me dé la gana** *haré lo que* *me dé* *la gana*	**el ingeniero, la ingeniera** *el ingeniero,* *la ingeniera*
el jefe, la jefa *el jefe,* *la jefa*	**lograr** *lograr*	**maduro, madura** *maduro,* *madura*
mudarse *mudarse*	**la mujer de negocios** *la mujer* *de negocios*	**por lo tanto** *por lo* *tanto*

Realidades 3 Nombre ______ Hora ______

Capítulo 6 Fecha ______ **Vocabulary Flash Cards, Sheet 5**

Copy the word or phrase in the space provided. Be sure to include the article for each noun. The blank cards can be used to write and practice other Spanish vocabulary for the chapter.

el programador, la programadora *el programador,* *la programadora*	**próximo, próxima** *próximo,* *próxima*	**seguir una carrera** *seguir una* *carrera*
soltero, soltera *soltero,* *soltera*	**tomar decisiones** *tomar* *decisiones*	**traducir** *traducir*
el traductor, la traductora *el traductor,* *la traductora*		

Realidades 3 | Nombre ______ Hora ______

Capítulo 6 | Fecha ______ **Vocabulary Check, Sheet 1**

Tear out this page. Write the English words on the lines. Fold the paper along the dotted line to see the correct answers so you can check your work.

ahorrar	***to save***
el banquero, la banquera	***banker***
capaz	***able***
casado, casada	***married***
el científico, la científica	***scientist***
el cocinero, la cocinera	***cook***
el contador, la contadora	***accountant***
cuidadoso, cuidadosa	***careful***
dedicarse a	***to dedicate oneself to***
desempeñar un cargo	***to hold a position***
el diseñador, la diseñadora	***designer***
diseñar	***to design***
emprendedor, emprendedora	***enterprising***
la empresa	***business***
las finanzas	***finance***

Fold In

Realidades 3 | Nombre ______ Hora ______

Capítulo 6 | Fecha ______ **Vocabulary Check, Sheet 2**

Tear out this page. Write the Spanish words on the lines. Fold the paper along the dotted line to see the correct answers so you can check your work.

to save	***ahorrar***
banker	***el banquero, la banquera***
able	***capaz***
married	***casado, casada***
scientist	***el científico, la científica***
cook	***el cocinero, la cocinera***
accountant	***el contador, la contadora***
careful	***cuidadoso, cuidadosa***
to dedicate oneself to	***dedicarse a***
to hold a position	***desempeñar un cargo***
designer	***el diseñador, la diseñadora***
to design	***diseñar***
enterprising	***emprendedor, emprendedora***
business	***la empresa***
finance	***las finanzas***

Fold In

Realidades 3 Nombre ______ Hora ______

Capítulo 6 Fecha ______

Vocabulary Check, Sheet 3

Tear out this page. Write the English words on the lines. Fold the paper along the dotted line to see the correct answers so you can check your work.

graduarse (u→ú)	***to graduate***
hacerse	***to become***
el hombre de negocios, la mujer de negocios	***businessman, businesswoman***
el ingeniero, la ingeniera	***engineer***
el jefe, la jefa	***boss***
el juez, la jueza	***judge***
lograr	***to achieve, to manage to***
maduro, madura	***mature***
mudarse	***to move to***
el peluquero, la peluquera	***hairstylist***
el programador, la programadora	***programmer***
el redactor, la redactora	***editor***
seguir una carrera	***to pursue a career***
soltero, soltera	***single***
el traductor, la traductora	***translator***
traducir (zc)	***to translate***

Fold In ←

Realidades 3 Nombre ______ Hora ______

Capítulo 6 Fecha ______

Vocabulary Check, Sheet 4

Tear out this page. Write the Spanish words on the lines. Fold the paper along the dotted line to see the correct answers so you can check your work.

to graduate	***graduarse (u→ú)***
to become	***hacerse***
businessman, businesswoman	***el hombre de negocios, la mujer de negocios***
engineer	***el ingeniero, la ingeniera***
boss	***el jefe, la jefa***
judge	***el juez, la jueza***
to achieve, to manage to	***lograr***
mature	***maduro, madura***
to move to	***mudarse***
hairstylist	***el peluquero, la peluquera***
programmer	***el programador, la programadora***
editor	***el redactor, la redactora***
to pursue a career	***seguir una carrera***
single	***soltero, soltera***
translator	***el traductor, la traductora***
to translate	***traducir (zc)***

Fold In ←

Go Online WEB CODE jed-0602 PHSchool.com

El futuro (p. 260)

- You already know at least two ways to express the future in Spanish: by using the present tense or by using **ir** + **a** + *infinitive*:
  - **Mañana *tengo* una entrevista.** *I have an interview tomorrow.*
  - ***Vamos a* traducir el documento.** *We are going to translate the document.*
- The future can also be expressed in Spanish by using the *future tense*. The endings for the future tense are the same for regular **-ar**, **-er**, and **-ir** verbs. For regular verbs, the endings are attached to the infinitive. See two examples below:

estudiar		repetir	
estudiar**é**	estudiar**emos**	repetir**é**	repetir**emos**
estudiar**ás**	estudiar**éis**	repetir**ás**	repetir**éis**
estudiar**á**	estudiar**án**	repetir**á**	repetir**án**

A. Read each of the following statements and decide if it describes something that took place in the past, or something that will take place in the future. Mark your answer. Follow the model.

Modelo Montaba en triciclo. __✓__ en el pasado ____ en el futuro

1. Manejaremos coches eléctricos. ____ en el pasado __✓__ en el futuro
2. Nadábamos en la piscina. __✓__ en el pasado ____ en el futuro
3. Todos viajarán a otros planetas. ____ en el pasado __✓__ en el futuro
4. Los teléfonos no existían. __✓__ en el pasado ____ en el futuro
5. Las enfermedades serán eliminadas. ____ en el pasado __✓__ en el futuro

B. Choose the correct verb form to complete each prediction about what will happen in the year 2025. Follow the model.

Modelo Los estudiantes (**usarán** / **usará**) computadoras todos los días.

1. Yo (**será** / **seré**) banquero.
2. Mi mejor amigo y yo (**vivirá** / **viviremos**) en la Luna.
3. Mi profesor/a de español (**conseguirá** / **conseguirás**) un puesto como director/a.
4. Mis padres (**estarás** / **estarán**) jubilados.
5. Tú (**hablarás** / **hablarán**) con los extraterrestres.
6. Nosotros (**disfrutaremos** / **disfrutarán**) mucho.

C. Complete each sentence with the correct form of the future tense of the verb given. Follow the model. **¡Recuerda!** All forms except **nosotros** have an accent mark.

Modelo Nosotros *trabajeremos* en una oficina. (**trabajar**)

1. Lidia **será** una madre estupenda. (**ser**)
2. Mi familia se **mudará** a una ciudad más grande. (**mudarse**)
3. Yo **desempeñaré** una cargo de contadora. (**desempeñar**)
4. Nosotros **ahorraremos** mucho dinero en el banco. (**ahorrar**)
5. Tú **seguirás** una carrera muy interesante. (**seguir**)

- Some verbs have irregular stems in the future tense. You will use these stems instead of the full infinitive. Note that the irregular verbs have the same future endings as regular verbs. Look at the list of irregular stems below.

tener: **tendr-**	decir: **dir-**	
salir: **saldr-**	poder: **podr-**	
venir: **vendr-**	haber: **habr-**	**-é, -ás, -á, -émos, -éis, -án**
poner: **pondr-**	hacer: **har-**	
saber: **sabr-**	querer: **querr-**	

D. Write the irregular future tense verbs for each subject and infinitive.

Modelo nosotros (**salir**) *saldremos*

1. yo (**poder**) **podré**
2. ellas (**querer**) **querrán**
3. él (**hacer**) **hará**
4. tú (**tener**) **tendrás**
5. Uds. (**decir**) **dirán**
6. yo (**saber**) **sabré**
7. nosotras (**poner**) **pondremos**
8. ella (**venir**) **vendrá**

E. Complete each sentence about your hopes for the future using the future tense of the irregular verbs in parentheses.

Modelo Mis padres *podrán* mandarme a una universidad famosa. (**poder**)

1. Mis amigos **sabrán** mucho sobre tecnología. (**saber**)
2. Mi esposo y yo **tendremos** una casa grande. (**tener**)
3. **Habrá** un robot que limpia toda la casa. (**haber**)
4. Mis colegas y yo **saldremos** de la oficina temprano los viernes. (**salir**)
5. Mi jefa **dirá** que yo soy más capaz que los otros. (**decir**)

El futuro (*continued*)

F. Write sentences based upon the pictures. Use the information in parentheses in your sentences, including the future tense of the infinitives.

Modelo (Rafael / ser / ______ / algún día)
Rafael será diseñador algún día.

1. (Eugenio / estudiar para ser / ______)
   Eugenio estudiará para ser programador (de computadoras).
2. (en nuestra comunidad / haber muchos / ______)
   En nuestra comunidad habrá muchos banqueros.
3. (yo / trabajar como / ______)
   Yo trabajaré como abogado(a).
4. (nosotros / conocer a / ______ / muy capaz)
   Nosotros conoceremos a una arquitecta muy capaz.
5. (el autor / querer trabajar con / ______ / bueno)
   El autor querrá trabajar con un redactor bueno.
6. (tú / hacerse / ______)
   Tú te harás cocinero(a).

El futuro de probabilidad (p. 263)

- You can use the future tense in Spanish to express uncertainty or probability about the present.
  Some equivalent expressions in English are *I wonder, it's probably,* and *it must be.*
  ***¿Hará* frío hoy?** *I wonder if it's cold today.*
  Mis guantes y mi chaqueta *estarán* en el armario.
  My gloves and jacket must be in the closet.

A. A person is very disoriented. Underline the phrases in their sentences that use the future of probability. Then find the best way of expressing this phrase in English in the word bank. Write the letter of the English phrase.

A. I wonder what time it is. / What time must it be?
B. I wonder where my parents are. / Where might my parents be?
C. I wonder why there are so many people here.
D. I wonder what today's date is. / What must today's date be?
E. I wonder who he is. / Who could he be?
F. I wonder what my brothers are doing.

1. ¿Qué harán mis hermanos? ***F***
2. ¿Qué hora será? ***A***
3. ¿Dónde estarán mis padres? ***B***
4. ¿Cuál será la fecha de hoy? ***D***
5. ¿Por qué habrá tantas personas aquí? ***C***
6. ¿Quién será él? ***E***

B. You are daydreaming during your Spanish class. Use the elements given and the future of probability to tell what you imagine your friends and family must be doing. Follow the model.

Modelo Mi madre / estar / en su oficina *Mi madre estará en su oficina.*

1. Mis amigos / jugar fútbol / en la clase de educación física
   Mis amigos jugarán fútbol en la clase de educación física.
2. Mi perro / dormir / en el sofá ***Mi perro dormirá en el sofá.***
3. Mis abuelos / dar una caminata / por el parque
   Mis abuelos darán una caminata por el parque.
4. ¿Qué / hacer / mi padre? ***¿Qué hará mi padre?***
5. Mi mejor amiga / presentar / un examen difícil / en la clase de matemáticas
   Mi mejor amiga presentará un examen difícil en la clase de matemáticas.

Realidades 3 | Nombre ______ Hora ______

Capítulo 6 | Fecha ______ **Vocabulary Flash Cards, Sheet 6**

Write the Spanish vocabulary word below each picture. If there is a word or phrase, copy it in the space provided. Be sure to include the article for each noun.

los *genes*	*la* *realidad* *virtual*	*los* *aparatos*
la *fábrica*	*la* *vivienda*	**aumentar** *aumentar*
el avance *el* *avance*	**el campo** *el* *campo*	**como si fuera** *como* *si* *fuera*

Realidades 3 | Nombre ______ Hora ______

Capítulo 6 | Fecha ______ **Vocabulary Flash Cards, Sheet 7**

Copy the word or phrase in the space provided. Be sure to include the article for each noun.

comunicarse *comunicarse*	**contaminar** *contaminar*	**curar** *curar*
de hoy en adelante *de* *hoy* *en* *adelante*	**la demanda** *la* *demanda*	**desaparecer** *desaparecer*
el desarrollo *el* *desarrollo*	**descubrir** *descubrir*	**la enfermedad** *la* *enfermedad*

Realidades 3 | Nombre ______ Hora ______

Capítulo 6 | Fecha ______ **Vocabulary Flash Cards, Sheet 8**

Copy the word or phrase in the space provided. Be sure to include the article for each noun.

enterarse	**la estrategia**	**la fuente de energía**
enterarse	*la* *estrategia*	*la* *fuente* *de* *energía*
la genética	**la hospitalidad**	**la industria**
la *genética*	*la* *hospitalidad*	*la* *industria*
la informática	**inventar**	**el invento**
la *informática*	*inventar*	*el* *invento*

Realidades 3 | Nombre ______ Hora ______

Capítulo 6 | Fecha ______ **Vocabulary Flash Cards, Sheet 9**

Copy the word or phrase in the space provided. Be sure to include the article for each noun.

la máquina	**la mayoría**	**los medios de comunicación**
la *máquina*	*la* *mayoría*	*los* *medios* *de* *comunicación*
el mercado	**el ocio**	**predecir**
el *mercado*	*el* *ocio*	*predecir*
el producto	**prolongar**	**reducir**
el *producto*	*prolongar*	*reducir*

Realidades 3 Nombre ______ Hora ______

Capítulo 6 Fecha ______ **Vocabulary Check, Sheet 5**

Tear out this page. Write the English words on the lines. Fold the paper along the dotted line to see the correct answers so you can check your work.

el aparato	***gadget***
aumentar	***to increase***
el avance	***advance***
averiguar	***to find out***
el campo	***field***
comunicarse	***to communicate***
curar	***to cure***
desaparecer	***to disappear***
el desarrollo	***development***
descubrir	***to discover***
enterarse	***to find out***
la estrategia	***strategy***
la fábrica	***factory***
la fuente de energía	***energy source***
el gen (*pl.* los genes)	***gene (genes)***
la genética	***genetics***
la hospitalidad	***hospitality***
la industria	***industry***

Fold In

Realidades 3 Nombre ______ Hora ______

Capítulo 6 Fecha ______ **Vocabulary Check, Sheet 6**

Tear out this page. Write the Spanish words on the lines. Fold the paper along the dotted line to see the correct answers so you can check your work.

gadget	***el aparato***
to increase	***aumentar***
advance	***el avance***
to find out	***averiguar***
field	***el campo***
to communicate	***comunicarse***
to cure	***curar***
to disappear	***desaparecer***
development	***el desarrollo***
to discover	***descubrir***
to find out	***enterarse***
strategy	***la estrategia***
factory	***la fábrica***
energy source	***la fuente de energía***
gene (genes)	***el gen (pl. los genes)***
genetics	***la genética***
hospitality	***la hospitalidad***
industry	***la industria***

Fold In

Nombre ____ Hora ____

Fecha ____

Vocabulary Check, Sheet 7

Tear out this page. Write the English words on the lines. Fold the paper along the dotted line to see the correct answers so you can check your work.

la informática	*information technology*
el invento	*invention*
la máquina	*machine*
la mayoría	*the majority*
los medios de comunicación	*media*
el mercadeo	*marketing*
el ocio	*free time*
predecir	*to predict*
prolongar	*to prolong, to extend*
la realidad virtual	*virtual reality*
reducir (zc)	*to reduce*
reemplazar	*to replace*
el servicio	*service*
tener en cuenta	*to take into account*
vía satélite	*via satellite*
la vivienda	*housing*

Fold In

Nombre ____ Hora ____

Fecha ____

Vocabulary Check, Sheet 8

Tear out this page. Write the Spanish words on the lines. Fold the paper along the dotted line to see the correct answers so you can check your work.

information technology	*la informática*
invention	*el invento*
machine	*la máquina*
the majority	*la mayoría*
media	*los medios de comunicación*
marketing	*el mercadeo*
free time	*el ocio*
to predict	*predecir*
to prolong, to extend	*prolongar*
virtual reality	*la realidad virtual*
to reduce	*reducir (zc)*
to replace	*reemplazar*
service	*el servicio*
to take into account	*tener en cuenta*
via satellite	*vía satélite*
housing	*la vivienda*

Fold In

El futuro perfecto (p. 273)

- The future perfect tense is used to talk about what *will have happened* by a certain time. You form the future perfect by using the future of the verb **haber** with the past participle of another verb. Below is the future perfect of the verb **ayudar**.

ayudar	
habré ayudado	habremos ayudado
habrás ayudado	habréis ayudado
habrá ayudado	habrán ayudado

- The future perfect is often used with the word **para** to say "by (a certain time)" and with the expression **dentro de** to say "within (a certain time)".

  ***Para* el año 2050 *habremos reducido* la contaminación del aire.**
  By the year 2050, we will have reduced air pollution.

  Los médicos *habrán eliminado* muchas enfermedades *dentro de* 20 años.
  Doctors will have eliminated many illnesses within 20 years.

A. Read each statement and decide if it will happen in the future (future tense), or if it will have happened by a certain point of time in the future (future perfect). Check the appropriate column.

Modelo Cada estudiante habrá comprado un teléfono celular para el año 2016. ___ futuro ✓ futuro perfecto

1. Los estadounidenses trabajarán menos horas. ✓ futuro ___ futuro perfecto
2. Todas las escuelas habrán comprado una computadora para cada estudiante. ___ futuro ✓ futuro perfecto
3. Los coches volarán. ✓ futuro ___ futuro perfecto
4. Alguien habrá inventado un robot que maneje el carro. ___ futuro ✓ futuro perfecto

B. Circle the correct form of the verb **haber** to complete each sentence.

Modelo Los médicos (**habrá** / **(habrán)**) descubierto muchas medicinas nuevas antes del fin del siglo.

1. Nosotros (**habrán** / **(habremos)**) conseguido un trabajo fantástico dentro de diez años.
2. Los científicos (**habrás** / **(habrán)**) inventado muchas máquinas nuevas dentro de cinco años.
3. Tú (**habrá** / **(habrás)**) aprendido a usar la energía solar antes del fin del siglo.
4. Yo (**(habré)** / **habrá**) traducido unos documentos antes de graduarme.

C. Complete each sentence with the future perfect of the verb in parentheses. **¡Cuidado!** Some verbs have irregular past participles. Refer to page 79 in your textbook for the list of irregular forms.

Modelo (decir) La presidente *habrá* *dicho* que es necesario usar otras fuentes de energía.

1. (poner) Yo ***habré*** ***puesto*** agua en mi coche en vez de gasolina.
2. (reemplazar) Los robots ***habrán*** ***reemplazado*** a muchos trabajadores humanos dentro de 100 años.
3. (empezar) Nosotros ***habremos*** ***empezado*** a usar muchas fuentes de energía dentro de poco tiempo.
4. (curar) Los médicos ***habrán*** ***curado*** muchas enfermedades graves para el año 2025.
5. (volver) Tú ***habrás*** ***vuelto*** de un viaje a Marte con una novia extraterrestre.
6. (descubrir) Alguien ***habrá*** ***descubierto*** una cura para el resfriado.

- The future perfect tense is also used to speculate about something that may have happened in the past.

  Mis amigos no están aquí. ¿Adónde habrán ido?
  My friends are not here. I wonder where they might have gone.

D. Your Spanish teacher is not at school today. You and other students are discussing what may have happened to her. Write complete sentences below with the future perfect tense. Follow the model.

Modelo ir a una conferencia *Habrá ido a una conferencia.*

1. visitar a un amigo en otra ciudad ***Habrá visitado a un amigo en otra ciudad.***
2. enfermarse ***Se habrá enfermado.***
3. salir para una reunión importante ***Habrá salido para una reunión importante.***
4. hacer un viaje a España ***Habrá hecho un viaje a España.***

Uso de los complementos directos e indirectos (p. 275)

- Review the list of direct and indirect object pronouns. You may remember them from Chapter 3 in your textbook.

Direct Object Pronouns	
me	nos
te	os
lo / la	los / las

Indirect Object Pronouns	
me	nos
te	os
le	les

- You can use a direct and an indirect object pronoun together in the same sentence. When you do so, place the indirect object pronoun before the direct object pronoun.

  La profesora me dio un examen. *Me lo* dio el martes pasado.
  The teacher gave me an exam. She gave it to me last Tuesday.

A. Marcos was very busy yesterday. Complete each sentence with the correct direct object pronoun: **lo, la, los, las.** Follow the model.

Modelo Marcos compró un libro de cocina española ayer. _Lo_ compró en la Librería Central.

1. Preparó una paella deliciosa. _La_ preparó en la cocina de su abuela.
2. Encontró unas flores en el jardín y _las_ trajo para poner en el centro de la mesa.
3. Decidió comprar unos tomates. _Los_ compró para preparar una ensalada.
4. Encontró una botella de vino y _la_ abrió.
5. Marcos terminó de cocinar el pan y _lo_ sirvió.

B. Read the sentences again in exercise A and look at the direct object pronouns you wrote. Then, based on the cue in parentheses, add the indirect object pronoun **me, te,** or **nos** to create new sentences telling whom Marcos did these things for. Write both pronouns in the sentence. Follow the model.

Modelo (para ti) _Te_ _lo_ compró en la Librería Central.

1. (para nosotros) _Nos_ _la_ preparó en la cocina de su abuela.
2. (para mí) _Me_ _las_ trajo para poner en el centro de la mesa.
3. (para ti) _Te_ _los_ compró para preparar una ensalada.
4. (para mí) _Me_ _la_ abrió.
5. (para nosotros) _Nos_ _lo_ sirvió.

- In sentences with two object pronouns, sometimes the pronouns **le** and **les** have to be changed. If the **le** or **les** comes before the direct object pronoun **lo, la, los,** or **las,** the **le** or **les** must change to **se**.

  Le compré unas flores a mi madre. Se las di esta mañana.
  I bought flowers for my mother. I gave them to her this morning.

- You often add the personal **a** + a pronoun, noun, or person's name to make it more clear who the **se** refers to.

  Mi tía Gloria le trajo regalos a Lupita. Se los dio *a ella* después de la fiesta.
  My aunt Gloria brought gifts for Lupita. She gave them to her after the party.

C. Read the first sentence in each pair and underline the direct object. Then, circle the correct combination of indirect and direct object pronouns to complete the second sentence. Follow the model.

Modelo Patricia le comprará un anillo a su hermana. (**Se lo** / **Se la**) comprará en Madrid.

1. El Sr. Gómez les escribirá unas cartas de recomendación a sus estudiantes. (**Se lo** / **Se las**) escribirá el próximo fin de semana.
2. Nosotros le enviaremos regalos a nuestra prima. (**Se los** / **Se las**) enviaremos muy pronto.
3. Yo les daré unas tareas a mis maestros. (**Se la** / **Se las**) daré en la próxima clase.
4. ¿Tú le prepararás un pastel a tu papá? ¿(**Se la** / **Se lo**) prepararás para su cumpleaños?
5. Le pagaremos dinero a la contadora. (**Se la** / **Se lo**) pagaremos por su dedicación en el trabajo.

D. Complete each rewritten sentence using both indirect and direct object pronouns. Follow the model.

Modelo La profesora les leyó un cuento muy cómico a los estudiantes. La profesora _se_ _lo_ leyó.

1. Mis padres le dieron unos regalos a mi profesora. Mis padres _se_ _los_ dieron.
2. Yo te compré unas camisetas nuevas. Yo _te_ _las_ compré.
3. Nuestra directora nos explicó las reglas de la escuela. _Nos_ _las_ explicó.
4. El científico les enseño una técnica a sus asistentes. Él _se_ _la_ enseñó.
5. Mi profesora me escribió unos comentarios. Ella _me_ _los_ escribió.

Puente a la cultura (pp. 278–279)

A. This reading is about the buildings of the future. Write three characteristics that you would expect the buildings of the future to have. Look at the photos in the reading to help you think of ideas. One example has been done for you.

buildings will use more technology

Possible answers include: buildings will be large, tall, use stronger materials, be longer-lasting

B. Look at the excerpt from the reading in your textbook. Try to figure out what the highlighted phrase means by using the context of the reading. Answer the questions below.

> *«Cada vez habrá más **edificios "inteligentes"**, en otras palabras, edificios en los que una computadora central controla todos los aparatos y servicios para aprovechar (utilize) mejor la energía eléctrica...»*

1. What does the phrase **edificios "inteligentes"** mean in English?

intelligent ***buildings***

2. What does this phrase mean in the context of this reading?

a. usarán más ladrillo **b.** serán más altos **(c.)** usarán mejor tecnología

C. Use the following table to help you keep track of the architects and one important characteristic of each of the buildings mentioned in the reading. The first one has been done for you.

Edificio	Arquitecto	Característica importante
1. las Torres Petronas	*César Pelli*	*los edificios más altos del mundo* ***Possible answers:***
2. el Faro de Comercio	***Luis Barragán;***	***líneas simples y modernas (colores, texturas y materiales que recuerdan la cultura popular mexicana; colores de la naturaleza)***
3. el Hotel Camino Real	***Ricardo Legorreta***	***diseños geométricos (combinación de espacio y color; uso funcional y decorativo de la luz)***
4. el Milwaukee Art Museum	***Santiago Calatrava***	***combina elementos de arte y arquitectura***

Lectura: Rosa (pp. 284–286)

A. You will encounter many words in this reading that you do not know. Sometimes these words are cognates, which you can get after reading them alone. Look at the following cognates from the reading and write the corresponding English word.

1. superiores ***superior(s)***
2. la indignación ***indignation***
3. contemplado ***contemplated***
4. ambiciones ***ambition(s)***
5. una trayectoria ***trajectory***
6. entusiasmo ***enthusiasm***

B. This story contains a great deal of dialogue, but quotation marks are not used. Instead, Spanish uses another type of mark, **la raya** (—), to indicate direct dialogue. In the following paragraph, underline the section of text that is dialogue. Look for verbs such as **dijo** and **expresó** to help you determine where dialogue appears.

1. —*¡Hoy es el día!* —*el tono de Rosa expresó cierta zozobra, la sensación de una derrota ineludible.*

—*¿Por qué habrán decidido eso?*

2. —*A cualquiera le gustaría estar allí* —*dijo Rosa sin énfasis*—. *Pero creo que ya soy demasiado vieja.*

C. Look at the following excerpts from page 285 of your reading. Circle the best translation for each by deciding whether it expresses a definite future action or a probability. Also use context clues to help you with meaning.

1. *—Por eso **querrán** trasladarte. **Necesitarán** tus servicios en otra parte. Quizá te lleven al Centro Nacional de Comunicaciones.*

a. That is why they will want to move you. They will need your services somewhere else. Perhaps they will bring you to the National Center for Communications.

(b.) That must be why they want to move you. They probably need your services somewhere else. They might bring you to the National Center for Communications.

2. *—Siempre serás un ejemplo para nosotras, Rosa.*
—Nadie será capaz de reemplazarte. Estamos seguras.

(a.) You will always be an example for us, Rosa. No one will be able to replace you. We are sure.

b. You most likely will always be an example for us, Rosa. No one may be able to replace you. We are sure.

D. Decide whether the following statements are true or false about what happens in the story. Write **C** for **cierto** or **F** for **falso**. Then, correct the false statements to make them true.

1. __C__ Rosa está nerviosa porque tiene que ir a un lugar desconocido.
2. __F__ Las amigas de Rosa se llaman Marta y Pancha.
   Las amigas de Rosa se llaman Betty y Carmen.
3. __F__ Rosa ha trabajado en su compañía por treinta años.
   Rosa ha trabajado en la compañía por cuarenta y tres años.
4. __C__ Rosa ha sido una buena trabajadora.
5. __C__ Las amigas piensan que Rosa recibirá un mejor trabajo.
6. __F__ Cinco robots vienen a sacar a Rosa de su trabajo.
   Cuatro hombres vienen a sacar a Rosa de su trabajo.
7. __F__ Rosa recibe un buen trabajo nuevo al final del cuento.
   Llevan a Rosa a la Cámara de Aniquilación.

E. This story has a surprise ending. Finish the following sentence by circling the correct answers to explain what the "twist" ending reveals.

*Rosa no es un ser humano. Ella es (**una computadora** / un animal) y los hombres del cuento van a (darle un premio / **destruirla**) porque en el futuro (**los seres humanos** / las máquinas) controlarán el mundo.*

Las construcciones negativas (p. 293)

- Look at the following lists of affirmative and negative words.

Affirmative		Negative	
algo	*something*	nada	*nothing*
alguien	*someone*	nadie	*no one*
alguno/a (*pron.*)	*some*	ninguno/a	*none, not any*
algún/alguna (*adj.*)	*some*	ningún/ninguna	*none, not any*
algunos/as (*pron/adj*)	*some*	ningunos/as (*pron/adj*)	*none, not any*
siempre	*always*	nunca	*never*
también	*also*	tampoco	*either, neither*

A. Learning words as opposites is a good strategy. Match each of the following affirmative words with the negative word that means the opposite.

__C__ 1. alguien	A. nada
__A__ 2. algo	B. tampoco
__D__ 3. algunos	C. nadie
__E__ 4. siempre	D. ningunos
__B__ 5. también	E. nunca

B. Circle the correct affirmative or negative word to complete each sentence. Follow the model.

Modelo No hay (**algo** / **nada**) interesante en esa plaza. Salgamos ahora.

1. (**Siempre** / **Nunca**) voy al desierto porque no me gusta el calor.
2. El Sr. Toledo encontró (**algún** / **ningún**) artefacto de oro por estas partes.
3. —Me encanta acampar en las montañas.
   —A mí (**también** / **tampoco**).
4. Mis vecinos se mudaron y ahora no vive (**nadie** / **alguien**) en esa casa.
5. (**Ningún** / **Algún**) día voy a ser un cantante famoso porque practico todos los días.

- It is important to remember that the adjectives **algún, alguna, algunos, algunas** and **ningún, ninguna, ningunos, ningunas** agree in number and gender with the noun they modify.
  - *Hay **algunas** esculturas en el templo.*
  - *No hay **ningún** bosque en esa parte del país.*

C. Complete the sentences with the correct affirmative word (**algún, alguna, algunos, algunas**) or negative word (**ningún, ninguna, ningunos, ningunas**). Follow the model.

Modelo Vimos *algunos* ríos muy impresionantes.

1. No había ***ningún*** palacio antiguo en la ciudad.
2. Visitamos ***algunas*** montañas muy altas y bonitas.
3. ¿Hay ***algún*** edificio de piedra por aquí?
4. No conocíamos a ***ninguna*** persona en el pueblito.
5. Los arquitectos no han encontrado ***ningún*** objeto interesante en ese sitio.
6. Descubrimos ***algunos*** monumentos hermosos en el centro.

- Remember that to make a sentence negative in Spanish, you must put **no** in front of the conjugated verb.
  - ***No** olvidé nada para mi viaje.*
- However, if a sentence starts with a negative word, like **nunca** or **nadie**, do not use the word **no** in front of the verb.
  - ***Nadie** puede explicar ese fenómeno increíble.*

D. Change each of the following statements so they mean exactly the opposite.

Modelo Conocimos a alguien interesante en la plaza.
No conocimos a nadie interesante en la plaza.

1. Siempre llevo aretes de plata. ***Nunca llevo aretes de plata.***
2. Hay algún río por aquí. ***No hay ningún río por aquí.***
3. Nadie sube la escalera. ***Alguien sube la escalera.***
4. No hay nada en ese castillo. ***Hay algo en ese castillo.***
5. Quiero hacer algo. ***No quiero hacer nada.***

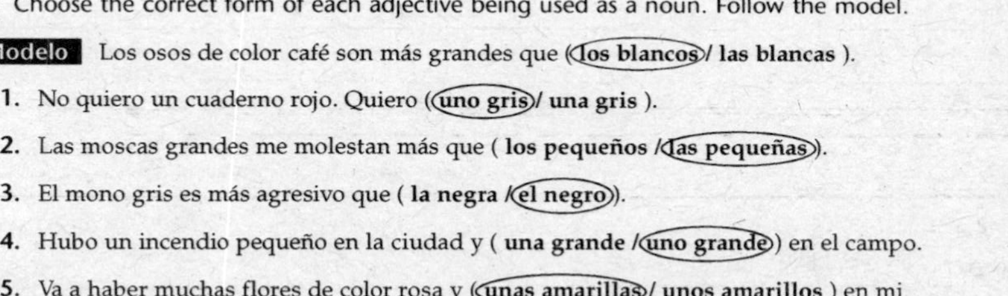

Los adjetivos usados como sustantivos (p. 295)

- When speaking about two similar things in Spanish you can avoid repetition by using the adjective as a noun. Look at the examples below.
  - **¿Te gustan más los perros grandes o *los pequeños?***
    Do you like big dogs more or little ones?
  - **Tengo un pájaro blanco y *uno rojo.***
    I have a white bird and a red one.
- Note that you use the definite article (**el, la, los, las**) or indefinite article (**un, una, unos, unas**) and an adjective that agrees in gender and number with the noun it replaces.
- Note also that **un** becomes **uno** when it is not followed by a noun.

A. Read each sentence. The underlined adjective is being used as a noun to avoid repeating the original noun in the sentence. Circle the original noun. Follow the model.

Modelo Me gustan las camisas azules pero no me gustan nada las amarillas.

1. Tengo miedo de los animales grandes pero no me molestan los pequeños.
2. Anoche hubo una tormenta fuerte y esta noche va a haber una pequeña.
3. En el parque zoológico hay un elefante viejo y uno joven.
4. Las hormigas negras no pican pero las rojas sí.
5. La cebra flaca no come mucho porque la gorda se come toda la comida.
6. En ese acuario hay unos peces anaranjados y unos azules.

B. Choose the correct form of each adjective being used as a noun. Follow the model.

Modelo Los osos de color café son más grandes que (**los blancos** / **las blancas**).

1. No quiero un cuaderno rojo. Quiero (**uno gris** / **una gris**).
2. Las moscas grandes me molestan más que (**los pequeños** / **las pequeñas**).
3. El mono gris es más agresivo que (**la negra** / **el negro**).
4. Hubo un incendio pequeño en la ciudad y (**una grande** / **uno grande**) en el campo.
5. Va a haber muchas flores de color rosa y (**unas amarillas** / **unos amarillos**) en mi jardín esta primavera.

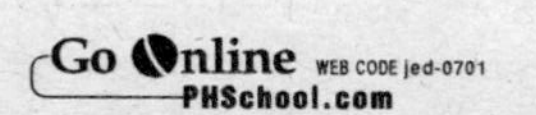

- You can also use the definite or indefinite article with a prepositional phrase beginning with **a, de,** or **para** to avoid repetition.
  ¿Son más grandes los pájaros de Guatemala o ***los de Costa Rica?***
  Esta comida es para un perro joven, no ***para uno viejo.***

C. Cross out the noun that is repeated in each sentence. Then, write the remaining phrase including **a, de,** or **para** that replaces the repeated noun. Follow the model.

Modelo La entrenadora de fútbol y la ~~entrenadora~~ de béisbol son buenas amigas.
la de béisbol

1. Las entradas del cine cuestan menos que las ~~entradas~~ de la obra de teatro.
   las de la obra de teatro
2. Unos estudiantes de primer año y unos ~~estudiantes~~ de tercer año están de excursión hoy.
   unos de tercer año
3. La clase de literatura y la ~~clase~~ de ciencias sociales tienen lugar en el teatro de la escuela.
   la de ciencias sociales
4. El profesor de inglés es más exigente que el ~~profesor~~ de anatomía.
   el de anatomía
5. Nos quedamos para este mes y no para el ~~mes~~ que viene.
   para el que viene

- You can also place **lo** in front of a masculine singular adjective to make it into a noun. This creates the equivalent of "the (adjective) thing . . ." in English.
  Lo bueno del verano es que no hay clases.
  The good thing about summer is that there are no classes.

D. Use the adjectives in parentheses as nouns at the beginning of each of the following sentences. Follow the model.

Modelo *Lo* *cómico* de la situación es que Lidia no es profesora. (**cómico**)

1. ***Lo*** ***malo*** de la clase es que hay mucha tarea. (**malo**)
2. ***Lo*** ***interesante*** del libro es que no tiene narrador. (**interesante**)
3. ***Lo*** ***divertido*** del invierno es que podemos esquiar. (**divertido**)
4. ***Lo*** ***difícil*** de esta tarea es que no comprendo el vocabulario. (**difícil**)
5. ***Lo*** ***impresionante*** de esos pájaros es que pueden volar por varias millas sin descansar. (**impresionante**)

Write the Spanish vocabulary word or phrase below each picture. Be sure to include the article for each noun.

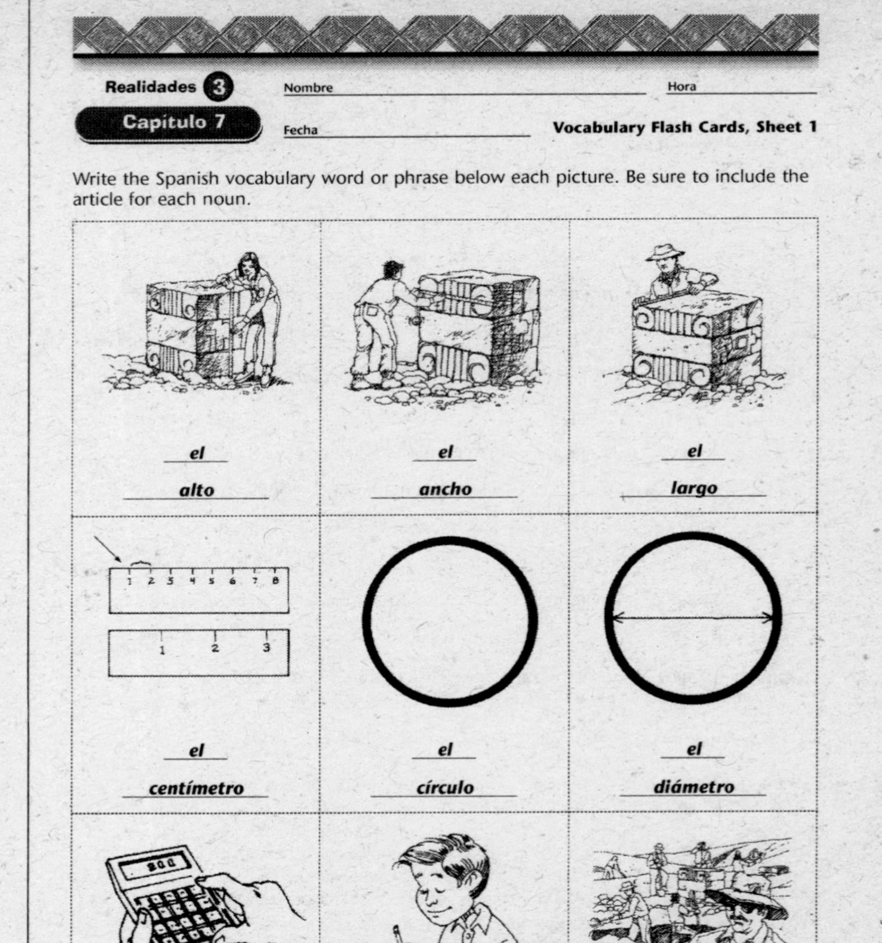

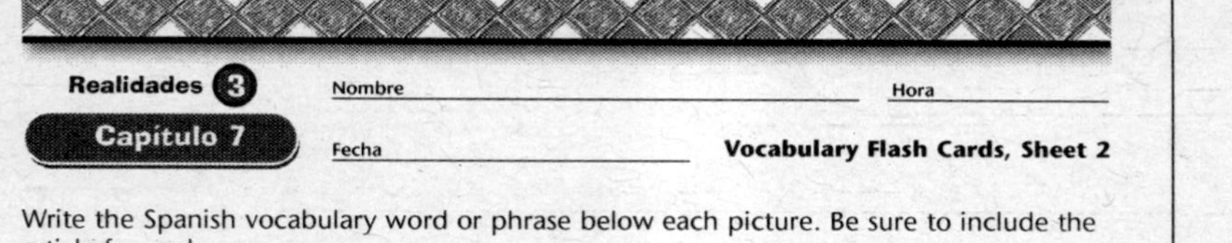

Realidades 3 Nombre ______ Hora ______

Capítulo 7 Fecha ______ **Vocabulary Flash Cards, Sheet 2**

Write the Spanish vocabulary word or phrase below each picture. Be sure to include the article for each noun.

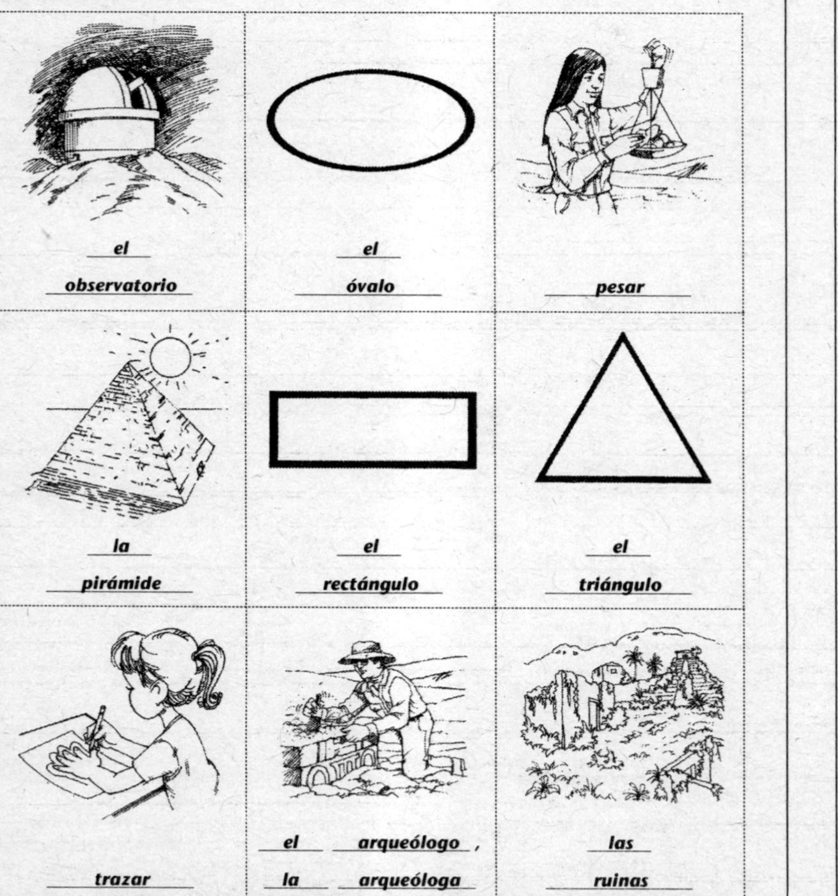

el *observatorio*	*el* *óvalo*	*pesar*
la *pirámide*	*el* *rectángulo*	*el* *triángulo*
trazar	*el* *arqueólogo*, *la* *arqueóloga*	*las* *ruinas*

Realidades 3 Nombre ______ Hora ______

Capítulo 7 Fecha ______ **Vocabulary Flash Cards, Sheet 3**

Write the Spanish vocabulary word below each picture. If there is a word or phrase, copy it in the space provided. Be sure to include the article for each noun.

la *nave* *espacial*	**la civilización** *la* *civilización*	**cubrir** *cubrir*
el diseño *el* *diseño*	**la distancia** *la* *distancia*	**dudar** *dudar*
la estructura *la* *estructura*	**existir** *existir*	**extraño, extraña** *extraño*, *extraña*

Realidades 3 | Nombre ______ | Hora ______

Capítulo 7 | Fecha ______ | **Vocabulary Flash Cards, Sheet 4**

Copy the word or phrase in the space provided. Be sure to include the article for each noun.

el fenómeno *el* *fenómeno*	**la función** *la* *función*	**improbable** *improbable*
inexplicable *inexplicable*	**probable** *probable*	**el pueblo** *el* *pueblo*
redondo, redonda *redondo*, *redonda*	**resolver** *resolver*	**la tonelada** *la* *tonelada*

Realidades 3 | Nombre ______ | Hora ______

Capítulo 7 | Fecha ______ | **Vocabulary Flash Cards, Sheet 5**

These blank cards can be used to write and practice other Spanish vocabulary for the chapter.

______	______	______
______	______	______
______	______	______

Realidades 3 | Capítulo 7

Nombre ____________ Hora ____________

Fecha ____________

Vocabulary Check, Sheet 1

Tear out this page. Write the English words on the lines. Fold the paper along the dotted line to see the correct answers so you can check your work.

el alto	***height***
el ancho	***width***
el arqueólogo, la arqueóloga	***archaeologist***
calcular	***to calculate, to compute***
el círculo	***circle***
la civilización	***civilization***
cubrir	***to cover***
el diámetro	***diameter***
el diseño	***design***
la distancia	***distance***
excavar	***to dig***
dudar	***to doubt***
extraño, extraña	***strange***
el fenómeno	***phenomenon***
la función	***function***
geométrico, geométrica	***geometric(al)***
improbable	***unlikely***

Fold In

Realidades 3 | Capítulo 7

Nombre ____________ Hora ____________

Fecha ____________

Vocabulary Check, Sheet 2

Tear out this page. Write the Spanish words on the lines. Fold the paper along the dotted line to see the correct answers so you can check your work.

height	***el alto***
width	***el ancho***
archaeologist	***el arqueólogo, la arqueóloga***
to calculate, to compute	***calcular***
circle	***el círculo***
civilization	***la civilización***
to cover	***cubrir***
diameter	***el diámetro***
design	***el diseño***
distance	***la distancia***
to dig	***excavar***
to doubt	***dudar***
strange	***extraño, extraña***
phenomenon	***el fenómeno***
function	***la función***
geometric(al)	***geométrico, geométrica***
unlikely	***improbable***

Fold In

Realidades 3 Nombre ____ Hora ____

Capítulo 7 Fecha ____ **Vocabulary Check, Sheet 3**

Tear out this page. Write the English words on the lines. Fold the paper along the dotted line to see the correct answers so you can check your work.

inexplicable	***inexplicable***
el largo	***length***
medir (e→i)	***to measure***
la nave espacial	***spaceship***
el observatorio	***observatory***
el óvalo	***oval***
pesar	***to weight***
la pirámide	***pyramid***
probable	***likely***
el pueblo	***people***
el rectángulo	***rectangle***
redondo, redonda	***round***
resolver (o→ue)	***to solve***
las ruinas	***ruins***
la tonelada	***ton***
el triángulo	***triangle***
trazar	***to trace, to draw***

Fold In

Realidades 3 Nombre ____ Hora ____

Capítulo 7 Fecha ____ **Vocabulary Check, Sheet 4**

Tear out this page. Write the Spanish words on the lines. Fold the paper along the dotted line to see the correct answers so you can check your work.

inexplicable	***inexplicable***
length	***el largo***
to measure	***medir (e→i)***
spaceship	***la nave espacial***
observatory	***el observatorio***
oval	***el óvalo***
to weight	***pesar***
pyramid	***la pirámide***
likely	***probable***
people	***el pueblo***
rectangle	***el rectángulo***
round	***redondo, redonda***
to solve	***resolver (o→ue)***
ruins	***las ruinas***
ton	***la tonelada***
triangle	***el triángulo***
to trace, to draw	***trazar***

Fold In

Go Online WEB CODE jed-0702 PHSchool.com

El presente y el presente perfecto del subjuntivo con expresiones de duda (p. 306)

- When you want to express doubt, uncertainty, or disbelief about actions in the present, you use the present subjunctive.

  ***Dudo que* los arqueólogos tengan todos sus instrumentos.**
  I doubt the archaeologists have all their instruments.

  Other verbs and expressions that indicate doubt, uncertainty and disbelief include:

No creer	Es improbable	Es dudoso
Es probable	Es imposible	

- In contrast, expressions of belief, knowledge, or certainty are usually followed by the indicative.

  ***Es verdad* que los arqueólogos trabajan mucho.**
  It's true that the archaeologists work a lot.

  Other verbs and expressions of belief, knowledge or certainty include:

Creer	No dudar	Es cierto
Estar seguro/a de	Saber	Es evidente

A. Circle the verb in each of the following sentence endings. Then, choose the appropriate sentence starter. If the verb you circled is in the subjunctive or present perfect subjunctive, check the column that says "**Dudamos.**" If the verb is in the indicative, check the column that says "**Estamos seguros de.**"

Modelo ... que los marcianos (vivan) en nuestro planeta.
☑ Dudamos ... ☐ Estamos seguros de ...

1. ... que Chichén Itzá (es) el sitio arqueológico más famoso del mundo.
   ☐ Dudamos ... ☑ Estamos seguros de ...
2. ... que muchas ruinas mayas (están) en el Yucatán.
   ☐ Dudamos ... ☑ Estamos seguros de ...
3. ... que (existan) evidencias de una nave espacial.
   ☑ Dudamos ... ☐ Estamos seguros de ...
4. ... que los arqueólogos (resuelvan) todos los misterios de la civilización maya.
   ☑ Dudamos ... ☐ Estamos seguros de ...
5. ... que el observatorio (está) en el centro de la ciudad.
   ☐ Dudamos ... ☑ Estamos seguros de ...

B. Find the expression that indicates doubt (subjunctive) or certainty (indicative) in each sentence below. Write **S** for subjunctive and **I** for indicative. Then, complete the sentences with the correct form of the verb in parentheses. Follow the model.

Modelo _I_ Es cierto que nadie _puede_ explicar todo lo misterioso de nuestro universo. (**poder**)

1. _S_ Es dudoso que los arqueólogos _excaven_ hoy porque llueve. (**excavar**)
2. _I_ Creo que los diseños geométricos _tienen_ un diámetro de cinco metros. (**tener**)
3. _I_ Los arqueólogos saben que nosotros _queremos_ investigar ese sitio. (**querer**)
4. _I_ Es cierto que la arqueóloga _traza_ una línea entre los dos edificios. (**trazar**)
5. _S_ Es posible que los estudiantes _vean_ unos fenómenos extraños durante su viaje a Perú. (**ver**)

- When you express doubt or uncertainty about actions that took place in the past, use the present perfect subjunctive.

  Es dudoso que los arqueólogos *hayan medido* todas las pirámides.
  It's doubtful that the archaeologists measured (have measured) all the pyramids.

- Use the present perfect indicative after expressions of belief, knowledge, or certainty.

  Es verdad que los arqueólogos *han encontrado* unos objetos de cerámica.
  It is true that the archaeologists found (have found) some ceramic objects.

C. First, underline the expression that indicates doubt or certainty in each sentence. Then, complete the sentences with the present perfect indicative or present perfect subjunctive. Follow the models.

Modelos (**ver**) No creo que ellos _hayan_ _visto_ una nave espacial.
(**pesar**) Es evidente que los científicos _han_ _pesado_ las piedras.

1. (**estudiar**) Es evidente que los mayas _han_ _estudiado_ mucho la astronomía.
2. (**ver**) Dudamos que tú _hayas_ _visto_ un extraterrestre.
3. (**hacer**) No es probable que ellos _hayan_ _hecho_ todos los viajes que planearon.
4. (**ir**) Estamos seguros que tú _has_ _ido_ a un sitio muy famoso.
5. (**comunicar**) Los científicos no creen que los incas se _hayan_ _comunicado_ con los extraterrestres.

Realidades 3 Nombre ______ Hora ______

Capítulo 7 Fecha ______ **Vocabulary Flash Cards, Sheet 6**

Write the Spanish vocabulary word below each picture. If there is a word or phrase, copy it in the space provided. Be sure to include the article for each noun.

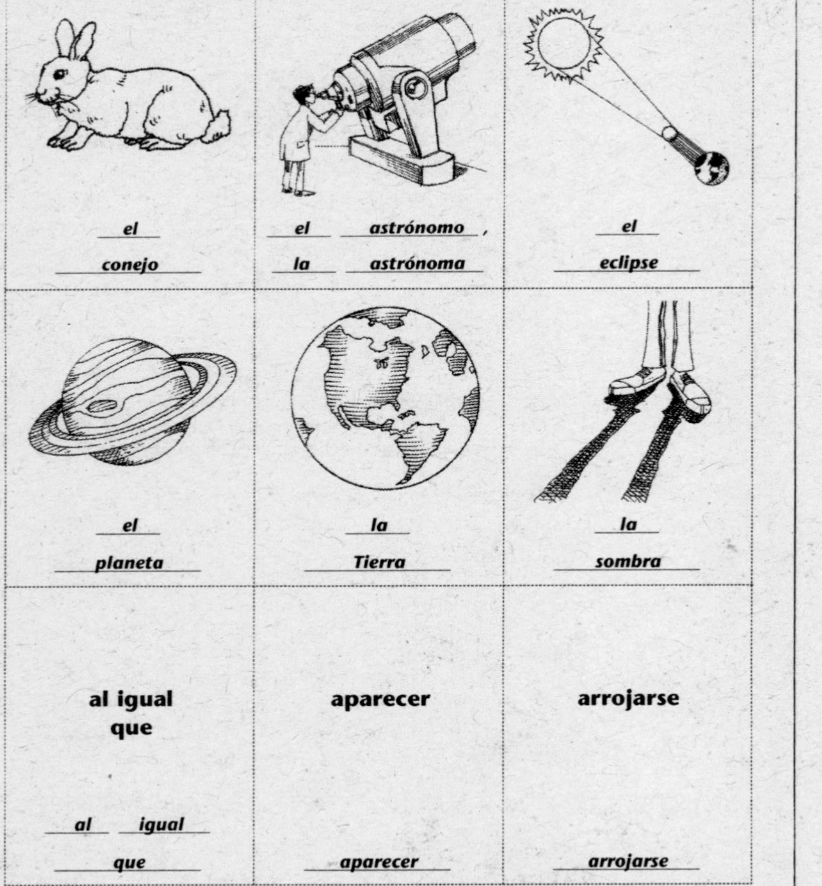

el *conejo*	*el* *astrónomo*, *la* *astrónoma*	*el* *eclipse*
el *planeta*	*la* *Tierra*	*la* *sombra*
al igual que *al* *igual* *que*	**aparecer** *aparecer*	**arrojarse** *arrojarse*

Realidades 3 Nombre ______ Hora ______

Capítulo 7 Fecha ______ **Vocabulary Flash Cards, Sheet 7**

Copy the word or phrase in the space provided. Be sure to include the article for each noun.

brillar *brillar*	**contribuir** *contribuir*	**convertirse (en)** *convertirse (en)*
la creencia *la* *creencia*	**cualquier** *cualquier*	**el dios, la diosa** *el* *dios*, *la* *diosa*
la escritura *la* *escritura*	**el/la habitante** *el/la* *habitante*	**el intento** *el* *intento*

Realidades 3 | Nombre ______ Hora ______

Capítulo 7 | Fecha ______ **Vocabulary Flash Cards, Sheet 8**

Copy the word or phrase in the space provided. Be sure to include the article for each noun.

la leyenda *la* *leyenda*	**la Luna** *la* *Luna*	**el mito** *el* *mito*
o sea que *o* *sea* *que*	**el origen** *el* *origen*	**ponerse (el sol)** *ponerse* *(el sol)*
sagrado, sagrada *sagrado* , *sagrada*	**el símbolo** *el* *símbolo*	**sino (que)** *sino (que)*

Realidades 3 | Nombre ______ Hora ______

Capítulo 7 | Fecha ______ **Vocabulary Flash Cards, Sheet 9**

Copy the word or phrase in the space provided. Be sure to include the article for each noun. The blank cards can be used to write and practice other Spanish vocabulary for the chapter.

la teoría *la* *teoría*	**el universo** *el* *universo*	**ya que** *ya* *que*

Realidades 3 Nombre ______ Hora ______

Capítulo 7 Fecha ______ **Vocabulary Check, Sheet 5**

Tear out this page. Write the English words on the lines. Fold the paper along the dotted line to see the correct answers so you can check your work.

al igual que	***as, like***
aparecer (zc)	***to appear***
arrojar(se)	***to throw (oneself)***
el astrónomo, la astrónoma	***astronomer***
brillar	***to shine***
convertirse (en)	***to turn (into); to become***
contribuir (u→y)	***to contribute***
la creencia	***belief***
cualquier, cualquiera	***any***
el dios, la diosa	***god, goddess***
la escritura	***writing***
el eclipse	***eclipse***
el/la habitante	***inhabitant***
el intento	***attempt***

Fold In

Realidades 3 Nombre ______ Hora ______

Capítulo 7 Fecha ______ **Vocabulary Check, Sheet 6**

Tear out this page. Write the Spanish words on the lines. Fold the paper along the dotted line to see the correct answers so you can check your work.

as, like	***al igual que***
to appear	***aparecer (zc)***
to throw (oneself)	***arrojar(se)***
astronomer	***el astrónomo, la astrónoma***
to shine	***brillar***
to turn (into); to become	***convertirse (en)***
to contribute	***contribuir (u→y)***
belief	***la creencia***
any	***cualquier, cualquiera***
god, goddess	***el dios, la diosa***
writing	***la escritura***
eclipse	***el eclipse***
inhabitant	***el/la habitante***
attempt	***el intento***

Fold In

Realidades 3 — Nombre ______ Hora ______

Capítulo 7 — Fecha ______

Vocabulary Check, Sheet 7

Tear out this page. Write the English words on the lines. Fold the paper along the dotted line to see the correct answers so you can check your work.

la leyenda	***legend***
la Luna	***moon***
el mito	***myth***
el origen	***origin***
o sea que	***in other words***
el planeta	***planet***
ponerse (el sol)	***to set (sun)***
sagrado, sagrada	***sacred***
el símbolo	***symbol***
sino (que)	***but; but instead***
la sombra	***shadow***
la teoría	***theory***
la Tierra	***Earth***
el universo	***universe***

Fold In

Realidades 3 — Nombre ______ Hora ______

Capítulo 7 — Fecha ______

Vocabulary Check, Sheet 8

Tear out this page. Write the Spanish words on the lines. Fold the paper along the dotted line to see the correct answers so you can check your work.

legend	***la leyenda***
moon	***la Luna***
myth	***el mito***
origin	***el origen***
in other words	***o sea que***
planet	***el planeta***
to set (sun)	***ponerse (el sol)***
sacred	***sagrado, sagrada***
symbol	***el símbolo***
but; but instead	***sino (que)***
shadow	***la sombra***
theory	***la teoría***
Earth	***la Tierra***
universe	***el universo***

Fold In

Go Online WEB CODE jed-0706 PHSchool.com

Pero y sino (p. 319)

- To say the word "but" in Spanish, you usually use the word **pero**.
  *Hoy hace mal tiempo, **pero** vamos a visitar las pirámides.*

  However, there is another word in Spanish, **sino**, that also means "but." **Sino** is used after a negative, in order to offer the idea of an alternative: "not this, but rather that."
  Los aztecas no tenían un sólo dios *sino* muchos dioses diferentes.
  The Aztecs did not have only one god, but (rather) many different gods.

A. Underline the verb in the first part of each sentence. If the verb is affirmative, circle **pero** as the correct completion. If the verb is negative, circle **sino** as the correct completion. Note: if the verb is negative, you will also need to underline "**no**" if it is present. Follow the models.

Modelos Mi tío <u>no es</u> arquitecto (**(sino)** / **pero**) arqueólogo.
Mi hermano <u>lee</u> libros sobre las civilizaciones antiguas (**sino** / **(pero)**) nunca ha visitado ninguna.

1. Esta escritura azteca <u>me parece</u> muy interesante (**sino** / **(pero)**) no la puedo leer.
2. Los mayas <u>no estudiaban</u> la arqueología (**(sino)** / **pero**) la astronomía.
3. Esta historia <u>no es</u> una autobiografía (**(sino)** / **pero**) una leyenda.
4. Los conejos <u>son</u> animales muy simpáticos (**sino** / **(pero)**) mi mamá no me permite tener uno en casa.
5. <u>Va a haber</u> un eclipse lunar este viernes (**sino** / **(pero)**) no podré verlo porque estaré dormido.

B. Choose either **pero** or **sino** to complete each of the following sentences.

Modelo Ese mito es divertido (**(pero)** / **sino**) no creo que sea cierto.

1. Los mayas no eran bárbaros (**pero** / **(sino)**) muy intelectuales y poseían una cultura rica.
2. El alfabeto azteca no usaba letras (**pero** / **(sino)**) símbolos y dibujos.
3. Los mayas y los aztecas no vivían en España (**pero** / **(sino)**) en México.
4. Tengo que preparar un proyecto sobre los aztecas (**(pero)** / **sino**) no lo he terminado todavía.
5. Según los aztecas, uno de sus dioses se convirtió en el Sol (**(pero)** / **sino**) al principio no podía moverse.

Pero y sino (continued)

- **Sino** is also used in the expression **no sólo... sino también...** , which means *not only... but also.*
  *Los mayas **no sólo** estudiaban las matemáticas **sino también** la astronomía.*

C. Finish each sentence with the "**no sólo... sino también**" pattern using the elements given. Follow the model.

Modelo Al niño *no sólo le gusta el helado sino también las galletas*.
(le gusta el helado / galletas)

1. Hoy ***no sólo hace sol sino también calor***. (**hace sol / calor**)
2. Esta profesora ***no sólo es cómica sino también inteligente***.
   (**es cómica / inteligente**)
3. Las leyendas ***no sólo son interesantes sino también informativas***.
   (**son interesantes / informativas**)
4. Mis amigos ***no sólo son comprensivos sino también divertidos***.
   (**son comprensivos / divertidos**)
5. La comida mexicana ***no sólo es nutritiva sino también deliciosa***.
   (**es nutritiva / deliciosa**)

- When there is a conjugated verb in the second part of the sentence, you should use **sino que.**
  Ella no perdió sus libros *sino que* se los prestó a una amiga.
  She didn't lose her books but (rather) she lent them to a friend.

D. Choose either **sino** or **sino que** to complete each of the following sentences.

Modelo Los aztecas no tenían miedo de los fenómenos naturales (**sino** / **(sino que)**) trataban de explicarlos.

1. Los españoles no aceptaron a los aztecas (**sino** / **(sino que)**) destruyeron su imperio.
2. Según los aztecas, no se ve la cara de un hombre en la luna (**(sino)** / **sino que**) un conejo.
3. Los arqueólogos no vendieron los artefactos (**sino** / **(sino que)**) los preservaron en un museo.
4. Esta leyenda no trata de la creación de los hombres (**(sino)** / **sino que**) del origen del día y de la noche.

El subjuntivo en cláusulas adjetivas (p. 320)

- Sometimes you use an entire clause to describe a noun. This is called an adjective clause, because, like an adjective, it *describes*. When you are talking about a specific person or thing that definitely exists, you use the indicative.

  Tengo unas fotos *que muestran* los templos mayas.
  I have some photos that show the Mayan temples.

- If you are not talking about a specific person or thing, or if you are not sure whether the person or thing exists, you must use the subjunctive.

  Busco un libro *que tenga* información sobre el calendario maya.
  I am looking for a book that has information about the Mayan calendar.

  Sometimes **cualquier(a)** is used in these expressions.

  Podemos visitar *cualquier* templo *que nos interese*.
  We can visit whatever temple interests us.

A. Circle the adjective clause in each of the following sentences. Follow the model.

Modelo Queremos leer un cuento (que sea más alegre).

1. Busco una leyenda (que explique el origen del mundo).
2. Los arqueólogos tienen unos artefactos (que son de cerámica).
3. Queremos tomar una clase (que trate de las culturas indígenas mexicanas).
4. Conocemos a un profesor (que pasa los veranos en México excavando en los sitios arqueológicos).
5. Los estudiantes necesitan unos artículos (que les ayuden a entender la escritura azteca).

B. First, find the adjective clause in each statement and decide whether it describes something that exists or probably does not exist. Place an **X** in the appropriate column. Then, circle the correct verb to complete the sentence. Follow the model.

	Existe	Posiblemente no existe
Modelo Busco un artículo que (tiene / (tenga)) información sobre los mayas.		X
1. Necesito el artículo que ((está) / esté) en esa carpeta.	X	
2. Visitamos un museo que ((tiene) / tenga) una exhibición nueva.	X	
3. Voy a llevar cualquier vestido que (encuentro / (encuentre)) en el armario.		X
4. En mi clase hay un chico que ((puede) / pueda) dibujar bien.	X	
5. Queremos ver unas pirámides que (son / (sean)) más altas que éstas.		X

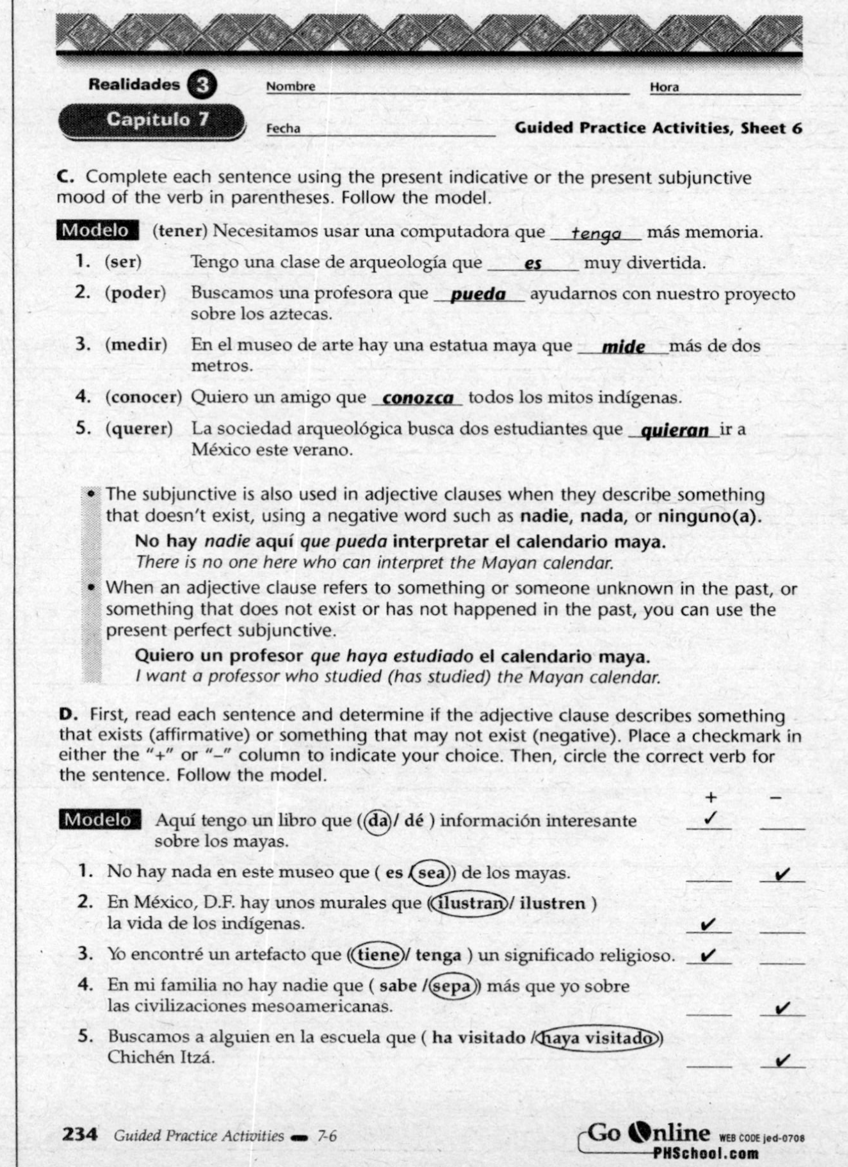

C. Complete each sentence using the present indicative or the present subjunctive mood of the verb in parentheses. Follow the model.

Modelo (tener) Necesitamos usar una computadora que *tenga* más memoria.

1. (ser) Tengo una clase de arqueología que ***es*** muy divertida.
2. (poder) Buscamos una profesora que ***pueda*** ayudarnos con nuestro proyecto sobre los aztecas.
3. (medir) En el museo de arte hay una estatua maya que ***mide*** más de dos metros.
4. (conocer) Quiero un amigo que ***conozca*** todos los mitos indígenas.
5. (querer) La sociedad arqueológica busca dos estudiantes que ***quieran*** ir a México este verano.

- The subjunctive is also used in adjective clauses when they describe something that doesn't exist, using a negative word such as **nadie, nada,** or **ninguno(a).**

  No hay *nadie* aquí *que pueda* interpretar el calendario maya.
  There is no one here who can interpret the Mayan calendar.

- When an adjective clause refers to something or someone unknown in the past, or something that does not exist or has not happened in the past, you can use the present perfect subjunctive.

  Quiero un profesor *que haya estudiado* el calendario maya.
  I want a professor who studied (has studied) the Mayan calendar.

D. First, read each sentence and determine if the adjective clause describes something that exists (affirmative) or something that may not exist (negative). Place a checkmark in either the "+" or "–" column to indicate your choice. Then, circle the correct verb for the sentence. Follow the model.

	+	–
Modelo Aquí tengo un libro que ((da) / dé) información interesante sobre los mayas.	✓	
1. No hay nada en este museo que (es / (sea)) de los mayas.		✓
2. En México, D.F. hay unos murales que ((ilustran) / ilustren) la vida de los indígenas.	✓	
3. Yo encontré un artefacto que ((tiene) / tenga) un significado religioso.	✓	
4. En mi familia no hay nadie que (sabe / (sepa)) más que yo sobre las civilizaciones mesoamericanas.		✓
5. Buscamos a alguien en la escuela que (ha visitado / (haya visitado)) Chichén Itzá.		✓

Puente a la cultura (pp. 324–325)

A. Look at the photos of the Moai statues on page 324 and the Olmec head on page 325 in your textbook. Below are some ideas for what each photo might represent. Choose which you think is the best explanation for each artifact and explain why you chose it.

Polynesian people	Kings	Spanish conquistadors	
extraterrestrials	Gods	athletic champions	political figureheads

1. estatua moai ***Answers will vary.***
2. cabeza olmeca ***Answers will vary.***

B. Read the following excerpt and check off the sentence that best represents the main point.

> *... Allí se encuentran los moai, unas estatuas enormes de piedra que representan enormes cabezas con orejas largas y torsos pequeños. Se encuentran en toda la isla y miran hacia el cielo como esperando a algo o alguien. Pero la pregunta es ¿cómo las construyeron y las movieron los habitantes indígenas a la isla? Se sabe que no conocían ni el metal ni la rueda.*

a. ____ Las estatuas tienen orejas largas y torsos pequeños.
b. ✔ Nadie sabe cómo las estatuas llegaron allí.
c. ____ Las estatuas miran hacia el cielo.
d. ____ Los indígenas no conocían ni el metal ni la rueda.

C. After reading about the Olmecs and the Nazca lines, complete the following by writing an **O** next to the statement if it corresponds to the creations of the **olmecas** and an **N** if it refers to the **líneas de Nazca**.

1. ***O*** Vivieron en México.
2. ***N*** Sólo es posible verlas completamente desde un avión.
3. ***O*** Construyeron cabezas gigantescas.
4. ***O*** La primera gran civilización de Mesoamérica.
5. ***N*** Representan figuras y animales.

Lectura (pp. 330–332)

A. The excerpt you are about to read is from a well-known piece of literature about a man who *thinks* he is a knight. Think about what other depictions of knights you have seen in literature and/or movies. ***Answers will vary.***

1. What are knights usually like?

   Possible answers: strong, loyal, fierce, good at fighting, wear armor

2. Are the portrayals you have seen usually serious, comical, or both?

   Students may mention serious portrayals in literature and film or comical portrayals such as in the Monty Python films.

B. Look at the excerpt below from page 331 of your textbook and answer the questions that follow.

> *—Así es —dijo Sancho.*
>
> *—Pues —dijo su amo [master]—, aquí puedo hacer mi tarea: deshacer fuerzas y ayudar a los miserables.*

1. To whom is Sancho speaking?

   Sancho is speaking to his master, Don Quijote.

2. What does Sancho's master say is his duty?

   His master says that it is his duty to fight against people who are forced (against their will) and to help the downtrodden.

3. Does this duty sound like something a knight would do?

   Yes, it does.

4. What kind of person or profession would do this duty in today's society?

   Possible answers: lawyers, judges, military or law enforcement personnel.

C. Read the following sentences about the reading in your textbook. Write **C** (for **cierto**) if they are true and **F** (for **falso**) if they are false.

_F_ 1. Cuando Don Quijote ve a los hombres, él sabe que son prisioneros.

_C_ 2. El primer prisionero con quien habla Don Quijote le dice que va a la prisión por amor.

_F_ 3. El segundo prisionero con quien habla Don Quijote le dice que va a la prisión por robar una casa.

_F_ 4. El tercer prisionero lleva más cadenas porque tiene más crímenes que todos.

_C_ 5. A Don Quijote le parece injusto el tratamiento de los prisioneros.

_C_ 6. Don Quijote y Sancho liberan a los prisioneros.

_F_ 7. Don Quijote quiere que los prisioneros le den dinero.

_C_ 8. Los prisioneros le tiran piedras a Don Quijote.

D. Read the following excerpt from the reading in your textbook and answer the questions that follow.

> *Don Quijote llamó entonces a los prisioneros y así les dijo:*
>
> *—De gente bien educada es agradecer (to thank) los beneficios que reciben. Les pido que vayan a la ciudad del Toboso, y allí os presentéis ante la señora Dulcinea del Toboso y le digáis que su caballero, el de la Triste Figura, ha tenido esta famosa aventura.*

1. First, find the following cognates in the passage above and circle them. Then write their meanings on the spaces below.

a. aventura **adventure**   c. educada **educated**
b. beneficios **benefits**   d. prisioneros **prisoners**

2. In this excerpt, Don Quijote uses the **vosotros** command form when addressing the prisoners. First, underline the following two commands in the passage above. Then choose the correct meaning for each.

os presentéis	**le digáis**
☑ present yourselves	☐ give her
☐ provide yourselves	☑ tell her

Las palabras interrogativas (p. 339)

- Interrogative words are words used to ask questions. In Spanish, all interrogative words have a written accent mark. Look at the list of important interrogative words below.

¿cuándo? = *when?*	**¿para qué?** = *for what reason/purpose?*
¿dónde? = *where?*	**¿qué?** = *what?*
¿adónde? = *to where?*	**¿por qué?** = *why?*
¿cómo? = *how?*	

A. Circle the correct interrogative word in each short dialogue below. Follow the model.

Modelo —¿(**Por qué** / **Cuándo**) es el partido?
—Mañana a las cuatro.

1. —¿(**Dónde** / **Cuál**) está José?
—En el museo.

2. —¿(**Cómo** / **Cuándo**) se llama ese hombre viejo?
—Sr. Beltrán.

3. —¿(**Qué** / **Por qué**) vas al teatro?
—Necesito hablar con el director.

4. —¿(**Cuánto** / **Qué**) haces mañana?
—Voy a la plaza a ver unos monumentos.

- Some interrogative words must agree with the nouns they modify.
  ¿cuál?/¿cuáles? **¿quién?/¿quiénes?**
  ¿cuánto?/¿cuánta? **¿cuántos?/¿cuántas?**
- Note that **¿quién(es)?** and **¿cuál(es)?** must agree in number with the nouns they modify.
  ¿Quiénes son los actores? *¿Cuál es el teatro nuevo?*
- Note that **¿cuánto(s)?** and **¿cuánta(s)?** must agree in number *and* gender with the nouns they modify.
  ¿Cuánto tiempo? *¿Cúantas sinagogas hay?*

B. In each question below, underline the noun that is modified by the interrogative word. Then, circle the interrogative word that agrees with the noun you underlined.

Modelo ¿(**Cuál** / **Cuáles**) son los monumentos más antiguos?

1. ¿(**Cuánto** / **Cuánta**) gente hay en la sinagoga?
2. ¿(**Cuál** / **Cuáles**) es la fecha de hoy?
3. ¿(**Quién** / **Quiénes**) es el presidente de México?
4. ¿(**Cuánto** / **Cuánta**) tarea tienes esta noche?
5. ¿(**Cuál** / **Cuáles**) son las calles que llevan al puente?

- When you need to use a preposition with an interrogative word, you must always place it ahead of the interrogative word.
  ¿Con **quién vas a la mezquita?** — *With whom are you going to the mosque?*
  ¿De **dónde es Marta?** — *Where is Marta from?*
- Note that with the word **Adónde**, the preposition, **a**, is attached to the interrogative word. In all other cases, however, the preposition is a separate word.

C. Circle the correct interrogative phrase to complete each dialogue below. Look at the responses given to each question to help you make your choice. Follow the model.

Modelo —¿(**De dónde** / **Adónde**) es tu profesora de español? [circled: De dónde]
—Ella es de Madrid.

1. —¿(**De quién** / **Con quién**) es la mochila? [circled: De quién]
   —Es de mi amiga Josefina.
2. —¿(**Para quién** / **De quién**) es ese regalo? [circled: Para quién]
   —Es para mi hermano Roberto. Hoy es su cumpleaños.
3. —¿(**Adónde** / **De dónde**) vas? [circled: Adónde]
   —Voy al edificio histórico para estudiar la arquitectura.
4. —¿(**Por qué** / **Para qué**) se usa un puente? [circled: Para qué]
   —Se usa para cruzar un río.

- When interrogative words are used in indirect questions, or statements that imply a question, they also have a written accent.
  No sé ***dónde*** *está el palacio.*

D. Choose the interrogative word from the word bank that best completes each sentence and write it in the space provided. Follow the model.

~~cuál~~	cuántas	dónde	quién	por qué

Modelo Necesito saber *cuál* de estos estudiantes es Juan.

1. Quiero saber ***dónde*** está la iglesia.
2. Tenemos que saber ***quién*** causó ese accidente horrible.
3. Mi profesor me preguntó ***por qué*** no había asistido a clase.
4. Voy a averiguar ***cuántas*** bebidas necesitamos comprar.

Verbos con cambios en el pretérito (p. 341)

- Remember that some verbs have a spelling change in the preterite. The verb **oír** and verbs that end in **-uir**, **-eer**, **-aer** have a "**y**" in the **Ud./él/ella** and **Uds./ellos/ellas** forms. The verb **leer** is conjugated below as an example.

leer	
leí	leímos
leíste	leísteis
leyó	**leyeron**

A. Complete each sentence with the correct preterite form of the verb in parentheses.

Modelo (oír) Los cajeros *oyeron* una explosión en el mercado.

1. (incluir) Yo ***incluí*** unas piedras preciosas en el collar que hice en la clase de arte.
2. (destruir) El dueño se puso enojado cuando un criminal ***destruyó*** su tienda.
3. (creer) Los policías no ***creyeron*** las mentiras del ladrón.
4. (caerse) Nosotros ***nos caímos*** cuando corríamos porque teníamos mucho miedo del oso.
5. (leer) Jorge ***leyó*** un artículo sobre cómo regatear en los mercados mexicanos.

- Remember that **-ar** and **-er** verbs have no stem changes in the preterite. Stem-changing **-ir** verbs have changes in the **Ud./él/ella** and **Uds./ellos/ellas** forms of the preterite.
- In verbs like **dormir** and **morir** (**o→ue**), the stem changes from **o** to **u** in these forms. In verbs like **sentir** and **preferir** (**e→ie**), or **pedir** and **seguir** (**e→i**), the stem changes from **e** to **i** in these forms.

B. Give the correct form of each of the following verbs in the preterite. Be careful not to make any stem changes where you don't need them!

Modelo (él) morir *murió*

1. (nosotros) almorzar ***almorzamos***
2. (los profesores) servir ***sirvieron***
3. (yo) repetir ***repetí***
4. (nosotros) perder ***perdimos***
5. (tú) contar ***contaste***
6. (Uds.) dormir ***durmieron***
7. (él) mentir ***mintió***
8. (tú) pedir ***pediste***

Realidades 3
Capítulo 8

Nombre ______ Hora ______
Fecha ______ **AVSR, Sheet 4**

- There are several irregular verbs in the preterite. Remember that some verbs such as **decir, traer,** and **traducir** have irregular stems in the preterite, but they share the same endings.
  - decir: **dij-**
  - traer: **traj-**
  - traducir: **traduj-**

  Endings: -e, -iste, -o, -imos, -isteis, -eron

C. Complete each sentence with the appropriate form of the verb in the preterite tense.

Modelo (decir) (Yo) Le *dije* a mi mamá: «Estoy asustado».

1. (traducir) El traductor ***tradujo*** las instrucciones para el producto nuevo del español al inglés.
2. (traer) Nosotros ***trajimos*** algunos aretes de oro al mercado para venderlos.
3. (decir) Tú ***dijiste*** cosas terribles durante la pelea con tu novia.
4. (traer) Los dos estudiantes ***trajeron*** su parte del proyecto y colaboraron para terminarlo.
5. (traducir) Mis profesores de español ***tradujeron*** unos documentos y la compañía les pagó muy bien.

- Another set of irregular verb stems share a slightly different set of endings.

andar	estar	tener	poder	poner	saber	venir
anduv-	**estuv-**	**tuv-**	**pud-**	**pus-**	**sup-**	**vin-**

Endings: -e, -iste, -o, -imos, -isteis, -ieron.

- The verb **hacer** is also irregular in the preterite:
  hice, hiciste, hizo, hicimos, hicisteis, hicieron

Notice that these verbs do not have written accent marks in the preterite.

D. Complete each sentence with the correct preterite form of the verb in parentheses.

Modelo (venir) Cuando estudiaba en España, mis padres *vinieron* a visitarme.

1. (estar) La policía capturó al ladrón y éste ***estuvo*** en la cárcel 20 años.
2. (poder) Nosotros no ***pudimos*** refugiarnos en la cueva porque había un oso allí.
3. (hacer) Ellos ***hicieron*** todo lo posible por resolver el conflicto.
4. (andar) ¿Tú ***anduviste*** solo por el bosque? ¿No tenías miedo?
5. (tener) Ayer yo ***tuve*** que salvar a mi hermanito porque se cayó en un río.

Go Online WEB CODE jed-0801 PHSchool.com

Realidades 3
Capítulo 8

Nombre ______ Hora ______
Fecha ______ **Vocabulary Flash Cards, Sheet 1**

Write the Spanish vocabulary word below each picture. If there is a word or phrase, copy it in the space provided. Be sure to include the article for each noun.

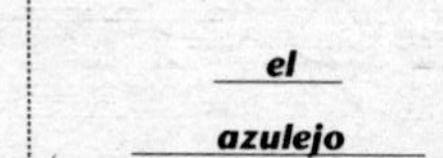

el
acueducto

el
arco

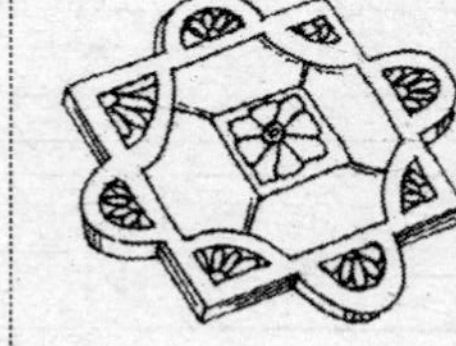
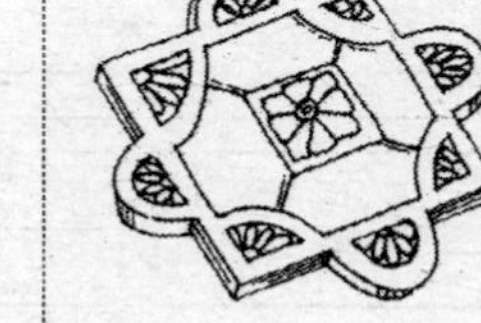

el
balcón

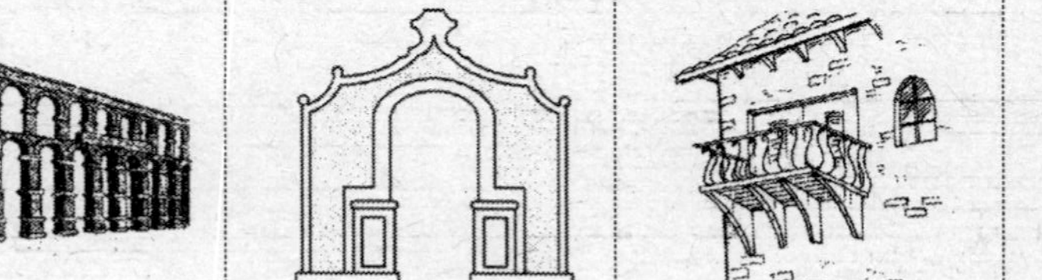

la
reja

la
torre

el
azulejo

anteriormente
anteriormente

el/la árabe
el/la
árabe

la arquitectura
la
arquitectura

Realidades 3 Nombre ____ Hora ____

Capítulo 8 Fecha ____ **Vocabulary Flash Cards, Sheet 2**

Copy the word or phrase in the space provided. Be sure to include the article for each noun.

asimilar(se) *asimilar(se)*	**la conquista** *la* *conquista*	**conquistar** *conquistar*
la construcción *la* *construcción*	**cristiano, cristiana** *cristiano* , *cristiana*	**dejar huellas** *dejar* *huellas*
dominar *dominar*	**la época** *la* *época*	**grupo étnico** *grupo* *étnico*

Realidades 3 Nombre ____ Hora ____

Capítulo 8 Fecha ____ **Vocabulary Flash Cards, Sheet 3**

Copy the word or phrase in the space provided. Be sure to include the article for each noun.

expulsar *expulsar*	**fundar(se)** *fundar(se)*	**gobernar** *gobernar*
el idioma *el* *idioma*	**el imperio** *el* *imperio*	**la influencia** *la* *influencia*
integrarse *integrarse*	**invadir** *invadir*	**el judío, la judía** *el* *judío* , *la* *judía*

Realidades 3 Nombre ____ Hora ____

Capítulo 8 Fecha ____ **Vocabulary Flash Cards, Sheet 4**

Copy the word or phrase in the space provided. Be sure to include the article for each noun.

la maravilla *la* *maravilla*	**maravilloso, maravillosa** *maravilloso*, *maravillosa*	**el musulmán, la musulmana** *el* *musulmán*, *la* *musulmana*
ocupar *ocupar*	**la población** *la* *población*	**reconquistar** *reconquistar*
el romano, la romana *el* *romano*, *la* *romana*	**la unidad** *la* *unidad*	**único, única** *único*, *única*

Realidades 3 Nombre ____ Hora ____

Capítulo 8 Fecha ____ **Vocabulary Flash Cards, Sheet 5**

These blank cards can be used to write and practice other Spanish vocbulary for the chapter.

____	____	____
____	____	____
____	____	____

Realidades 3 | Capítulo 8

Nombre ______ Hora ______

Fecha ______

Vocabulary Check, Sheet 1

Tear out this page. Write the English words on the lines. Fold the paper along the dotted line to see the correct answers so you can check your work.

el acueducto	***aqueduct***
anteriormente	***before***
el/la árabe	***Arab***
el arco	***arch***
la arquitectura	***architecture***
asimilar(se)	***to assimilate***
el azulejo	***tile***
el balcón, (*pl. los balcones*)	***balcony***
la conquista	***conquest***
conquistar	***to conquer***
la construcción	***construction***
cristiano, cristiana	***Christian***
dejar huellas	***to leave marks, traces***
dominar	***to dominate***
la época	***time, era***
expulsar	***to expel***
fundarse	***to found***
gobernar (ie)	***to rule, to govern***

Fold In

Realidades 3 | Capítulo 8

Nombre ______ Hora ______

Fecha ______

Vocabulary Check, Sheet 2

Tear out this page. Write the Spanish words on the lines. Fold the paper along the dotted line to see the correct answers so you can check your work.

aqueduct	***el acueducto***
before	***anteriormente***
Arab	***el/la árabe***
arch	***el arco***
architecture	***la arquitectura***
to assimilate	***asimilar(se)***
tile	***el azulejo***
balcony	***el balcón, (pl. los balcones)***
conquest	***la conquista***
to conquer	***conquistar***
construction	***la construcción***
Christian	***cristiano, cristiana***
to leave marks, traces	***dejar huellas***
to dominate	***dominar***
time, era	***la época***
to expel	***expulsar***
to found	***fundarse***
to rule, to govern	***gobernar (ie)***

Fold In

Realidades 3 — Capítulo 8

Nombre ______ Hora ______

Fecha ______ **Vocabulary Check, Sheet 3**

Tear out this page. Write the English words on the lines. Fold the paper along the dotted line to see the correct answers so you can check your work.

el grupo étnico	***ethnic group***
el idioma	***language***
el imperio	***empire***
integrarse	***to integrate***
invadir	***to invade***
el judío, la judía	***Jewish***
la maravilla	***marvel, wonder***
maravilloso, maravillosa	***wonderful***
el musulmán, la musulmana	***Muslim***
ocupar	***to occupy***
la población	***population***
la reja	***railing, grille***
el romano, la romana	***Roman***
la torre	***tower***
la unidad	***unity***
único, única	***only***

Fold In

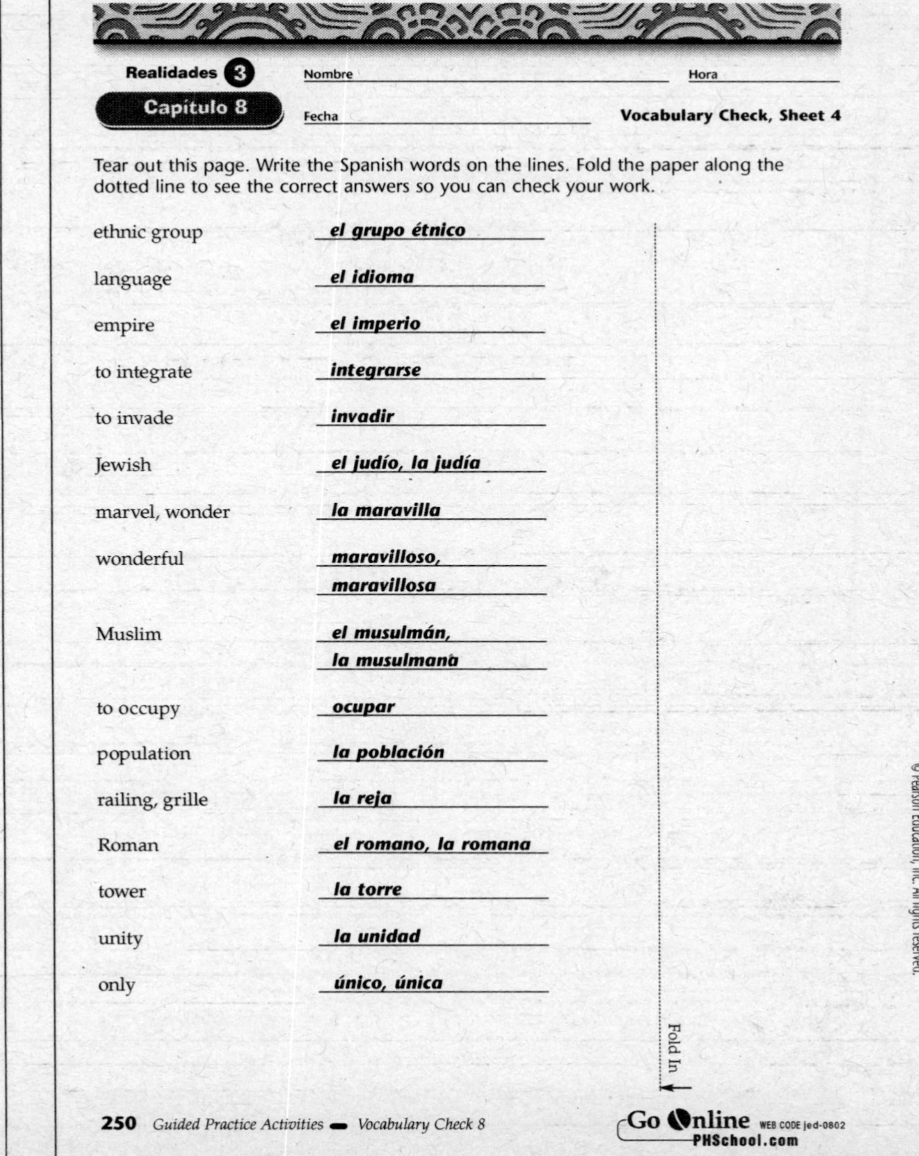

Realidades 3 — Capítulo 8

Nombre ______ Hora ______

Fecha ______ **Vocabulary Check, Sheet 4**

Tear out this page. Write the Spanish words on the lines. Fold the paper along the dotted line to see the correct answers so you can check your work.

ethnic group	***el grupo étnico***
language	***el idioma***
empire	***el imperio***
to integrate	***integrarse***
to invade	***invadir***
Jewish	***el judío, la judía***
marvel, wonder	***la maravilla***
wonderful	***maravilloso, maravillosa***
Muslim	***el musulmán, la musulmana***
to occupy	***ocupar***
population	***la población***
railing, grille	***la reja***
Roman	***el romano, la romana***
tower	***la torre***
unity	***la unidad***
only	***único, única***

Fold In

Go Online WEB CODE jed-0802 PHSchool.com

El condicional (p. 352)

- To talk about what you *would* do in a hypothetical situation or what things *would* be like, you use the conditional tense in Spanish. To form the conditional of regular verbs, you add the endings to the infinitive of the verb. Look at the examples below.

fundar		invadir	
fundaría	fundaríamos	invadiría	invadiríamos
fundarías	fundaríais	invadirías	invadiríais
fundaría	fundarían	invadiría	invadirían

- Note that the endings are the same for **-ar**, **-er**, and **-ir** verbs.

A. Alejandro is thinking about what his life would be like if he lived in Spain. Choose the correct form of the conditional tense to complete each sentence.

Modelo (Yo) (**comería** / **comerías**) tortilla española todos los días.

1. Mis amigos y yo (**hablarían** / **hablaríamos**) español perfectamente.
2. Mi familia (**viviría** / **vivirías**) en una casa bonita con un jardín y muchas flores.
3. Mis hermanos (**estudiarían** / **estudiaríamos**) en la universidad de Madrid.
4. Mis profesores me (**enseñarían** / **enseñaría**) sobre los Reyes Católicos.
5. Mis compañeros de clase y yo (**prepararían** / **prepararíamos**) un proyecto sobre la conquista de España por los árabes.

B. Some students were interviewed about what they would do if they were studying abroad in a Spanish-speaking country. Complete each sentence with correct form of the verb in the conditional tense.

Modelo (escribir) Yo les *escribiría* cartas a mis abuelos todos los días.

1. (visitar) Mi mejor amigo ***visitaría*** todos los museos para aprender sobre las épocas pasadas.
2. (conocer) Nosotros ***conoceríamos*** a personas de varios grupos étnicos.
3. (conversar) Todos los estudiantes ***conversarían*** en español todo el día.
4. (estudiar) ¿Tú ***estudiarías*** la influencia de las diferentes culturas en el país?
5. (sacar) Un estudiante ***sacaría*** fotos de todos los lugares turísticos.
6. (ir) Nosotros ***iríamos*** a ver todos los sitios históricos del país.

- Some verbs have irregular stems in the conditional. These are the same irregular stems used to form the future tense. Look at the list below to review them.

hacer: **har-**	decir: **dir-**
poder: **podr-**	saber: **sabr-**
poner: **pondr-**	componer: **compondr-**
salir: **saldr-**	querer: **querr-**
tener: **tendr-**	contener: **contendr-**
venir: **vendr-**	haber: **habr-**

C. Fill in the correct stems of the irregular conditional verbs to complete the sentences about what people would do on a family trip to Spain. Follow the model.

Modelo (querer) Mis padres y yo *querr* íamos ver los azulejos.

1. (salir) Yo ***saldr*** ía a las discotecas a bailar.
2. (poder) Mis hermanos ***podr*** ían ver los acueductos.
3. (tener) Tú ***tendr*** ías que acostumbrarte al acento español.
4. (decir) Nosotros ***dir*** íamos muchas cosas buenas sobre el Alcázar Real.
5. (hacer) Yo ***har*** ía un viaje a Barcelona.
6. (saber) Toda la familia ***sabr*** ía mucho más sobre la cultura española.

D. Conjugate the verb given in the conditional to write complete sentences about what would happen if people won the lottery.

Modelo Mis padres / no / tener / que trabajar más
Mis padres no tendrían que trabajar más.

1. Yo / poder / comprar / un carro nuevo
Yo podría comprar un carro nuevo.
2. Mis amigos / venir / a cenar / a mi casa / todas las noches
Mis amigos vendrían a cenar a mi casa todas las noches.
3. Nosotros / querer / donar / dinero / a las personas pobres
Nosotros querríamos donar dinero a las personas pobres.
4. Haber / una fuente / en el pasillo / de mi casa
Habría una fuente en el pasillo de mi casa.
5. Mi mamá / poner / pinturas de artistas famosos / en las paredes
Mi mamá pondría pinturas de artistas famosos en las paredes.

Realidades 3 Nombre ______ Hora ______

Capítulo 8 Fecha ______ **Vocabulary Flash Cards, Sheet 6**

Write the Spanish vocabulary word below each picture. If there is a word or phrase, copy it in the space provided. Be sure to include the article for each noun.

la *batalla*	*las* *mercancías*	*la* *misión*
el misionero *la misionera*	*las* *armas*	*el* *soldado*
luchar	**adoptar** *adoptar*	**africano, africana** *africano*, *africana*

Realidades 3 Nombre ______ Hora ______

Capítulo 8 Fecha ______ **Vocabulary Flash Cards, Sheet 7**

Copy the word or phrase in the space provided. Be sure to include the article for each noun.

al llegar *al* *llegar*	**los antepasados** *los* *antepasados*	**la colonia** *la* *colonia*
componerse de *componerse* *de*	**la descendencia** *la* *descendencia*	**desconocido, desconocida** *desconocido*, *desconocida*
el encuentro *el* *encuentro*	**enfrentar(se)** *enfrentar(se)*	**establecer(se)** *establecer(se)*

Realidades 3 | Nombre ______ Hora ______

Capítulo 8 | Fecha ______ **Vocabulary Flash Cards, Sheet 8**

Copy the word or phrase in the space provided. Be sure to include the article for each noun.

europeo, europea *europeo*, *europea*	**la guerra** *la* *guerra*	**la herencia** *la* *herencia*
el/la indígena *el/la* *indígena*	**el intercambio** *el* *intercambio*	**la lengua** *la* *lengua*
la mezcla *la* *mezcla*	**el poder** *el* *poder*	**poderoso, poderosa** *poderoso*, *poderosa*

Realidades 3 | Nombre ______ Hora ______

Capítulo 8 | Fecha ______ **Vocabulary Flash Cards, Sheet 9**

Copy the word or phrase in the space provided. Be sure to include the article for each noun. The blank card can be used to write and practice another Spanish vocabulary word or phrase for the chapter.

la raza *la* *raza*	**rebelarse** *rebelarse*	**el resultado** *el* *resultado*
el reto *el* *reto*	**la riqueza** *la* *riqueza*	**la semejanza** *la* *semejanza*
la tierra *la* *tierra*	**la variedad** *la* *variedad*	______

Realidades 3 | Nombre ______ | Hora ______

Capítulo 8 | Fecha ______

Vocabulary Check, Sheet 5

Tear out this page. Write the English words on the lines. Fold the paper along the dotted line to see the correct answers so you can check your work.

adoptar	***to adopt***
africano, africana	***African***
el antepasado	***ancestor***
el arma (*pl.* las armas)	***weapon***
la batalla	***battle***
la colonia	***colony***
componerse de	***to be formed by***
desconocido, desconocida	***unknown***
enfrentarse	***to face, to confront***
el encuentro	***meeting***
establecer (zc)	***to establish***
europeo, europea	***European***
la guerra	***war***
la herencia	***heritage***
el/la indígena	***native***
el intercambio	***exchange***

Fold In

Realidades 3 | Nombre ______ | Hora ______

Capítulo 8 | Fecha ______

Vocabulary Check, Sheet 6

Tear out this page. Write the Spanish words on the lines. Fold the paper along the dotted line to see the correct answers so you can check your work.

to adopt	***adoptar***
African	***africano, africana***
ancestor	***el antepasado***
weapon	***el arma (pl. las armas)***
battle	***la batalla***
colony	***la colonia***
to be formed by	***componerse de***
unknown	***desconocido, desconocida***
to face, to confront	***enfrentarse***
meeting	***el encuentro***
to establish	***establecer (zc)***
European	***europeo, europea***
war	***la guerra***
heritage	***la herencia***
native	***el/la indígena***
exchange	***el intercambio***

Fold In

Nombre ______ Hora ______

Fecha ______ **Vocabulary Check, Sheet 7**

Tear out this page. Write the English words on the lines. Fold the paper along the dotted line to see the correct answers so you can check your work.

la lengua	***language, tongue***
luchar	***to fight***
la mercancía	***merchandise***
la mezcla	***mix***
la misión	***mission***
el misionero, la misionera	***missionary***
el poder	***power***
poderoso, poderosa	***powerful***
la raza	***race***
rebelarse	***to rebel, to revolt***
el resultado	***result, outcome***
el reto	***challenge***
la riqueza	***wealth***
la semejanza	***similarity***
el/la soldado	***soldier***
la tierra	***land***
la variedad	***variety***

Fold In

Nombre ______ Hora ______

Fecha ______ **Vocabulary Check, Sheet 8**

Tear out this page. Write the Spanish words on the lines. Fold the paper along the dotted line to see the correct answers so you can check your work.

language, tongue	***la lengua***
to fight	***luchar***
merchandise	***la mercancía***
mix	***la mezcla***
mission	***la misión***
missionary	***el misionero, la misionera***
power	***el poder***
powerful	***poderoso, poderosa***
race	***la raza***
to rebel, to revolt	***rebelarse***
result, outcome	***el resultado***
challenge	***el reto***
wealth	***la riqueza***
similarity	***la semejanza***
soldier	***el/la soldado***
land	***la tierra***
variety	***la variedad***

Fold In

Go Online WEB CODE jed-0806 PHSchool.com

El imperfecto del subjuntivo (p. 364)

- You have already learned how to use the subjunctive to persuade someone else to do something, to express emotions about situations, and to express doubt and uncertainty. If the main verb is in the present tense, you use the present subjunctive.

  Nos alegramos de que la fiesta sea divertida. *We are happy the party is fun.*

- If the main verb is in the preterite or imperfect, you must use the *imperfect subjunctive* in the second part of the sentence.

  Él se alegró de que ***comieran*** **buena comida.** *He was happy they ate authentic food.*

- To form the imperfect subjunctive, first put a verb in the **ellos/ellas/Uds.** form of the preterite tense and remove the **-ron**. Then, add the imperfect subjunctive endings. Look at the two examples below.

luchar (ellos) = luch**aron** (pretérito)		**establecer** (ellas) = establec**ieron**	
lucha~~ron~~		**establecie~~ron~~**	
luchara	lucháramos	estableciera	estableciéramos
lucharas	lucharais	establecieras	establecierais
luchara	lucharan	estableciera	establecieran

- Note: The **nosotros** form of each verb has an accent at the end of the stem.

A. Circle the correct form of the imperfect subjunctive to complete the following sentences.

Modelo La profesora recomendó que los estudiantes (**estudiara** / **(estudiaran)**) los aztecas.

1. A los conquistadores no les gustaba que los aztecas (**practicara** / **(practicaran)**) una religión diferente.
2. El rey español quería que Hernán Cortés (**(enseñara)** / **enseñaras**) su religión a los aztecas.
3. Fue excelente que nosotros (**miraran** / **(miráramos)**) una película sobre el imperio azteca.
4. Los españoles dudaban que el rey azteca (**se rebelaran** / **(se rebelara)**), pero eso fue lo que ocurrió.

- Any verbs that have stem changes, spelling changes, or irregular conjugation in the **ellos/ellas/Uds.** form of the preterite will also have these changes in the imperfect subjunctive. Look at a few examples of stems below.

leer-	leyeron-	**leye-**	ir-	fueron-	**fue-**
hacer-	hicieron-	**hicie-**	dormir-	durmieron-	**durmie-**

B. In the first space, write the **ellos/ellas/Uds**. preterite form of the verb. Then, conjugate the verb in the **él/ella/Ud**. form of the imperfect subjunctive. Follow the model.

Modelo (construir) *construyeron* : el trabajador *construyera*

1. (dar) ***dieron*** : el rey ***diera***
2. (ir) ***fueron*** : la reina ***fuera***
3. (poder) ***pudieron*** : Papá ***pudiera***
4. (morir) ***murieron*** : Ud. ***muriera***
5. (sentir) ***sintieron*** : Juanita ***sintiera***
6. (andar) ***anduvieron*** : Carlitos ***anduviera***

C. In the following sentences, conjugate the first verb in the imperfect indicative and the second verb in the imperfect subjunctive to create complete sentences. Follow the model.

Modelo Yo / querer / que / mi profesor / mostrar / un video / sobre los aztecas
Yo quería que mi profesor mostrara un video sobre los aztecas.

1. Ser / necesario / que / los aztecas / defender / su imperio
   Era necesario que los aztecas defendieran su imperio.
2. Los aztecas / dudar / que / Hernán Cortés / tener razón
   Los aztecas dudaban que Hernán Cortés tuviera razón.
3. Yo / alegrarse / de que / los estudiantes / estar / interesados / en la cultura azteca
   Yo me alegraba de que los estudiantes estuvieran interesados en la cultura azteca.
4. Nosotros / no estar seguros / de que / los aztecas / poder / preservar todas sus tradiciones
   Nosotros no estábamos seguros de que los aztecas pudieran preservar todas sus tradiciones.
5. Ser / malo / que / muchos aztecas / morirse / de enfermedades
   Era malo que muchos aztecas murieran de enfermedades.

El imperfecto del subjuntivo con *si* (p. 367)

- The two tenses you have learned in this chapter, the conditional and the imperfect subjunctive, are often combined in sentences where you talk about hypothetical, unlikely, or untrue events. These sentences include the word **si** ("if") followed by the imperfect subjunctive and a main clause with a verb in the conditional tense. Look at the following examples.

  Si viviera en España, podría ver la influencia árabe en la arquitectura.
  If I lived in Spain, I would be able to see the arabic influence in the architecture.

  Haríamos un viaje a México para ver las pirámides si tuviéramos tiempo.
  We would take a trip to Mexico to see the pyramids if we had time.

- Notice that the order of the phrase can vary, but the imperfect subjunctive must **always** be paired with the **si**.

A. Complete the sentences with the conditional of the verb in parentheses. Follow the model.

Modelo (comprar) Si tuviera un millón de dólares, yo *compraría* un carro.

1. (ir) Si tuviera un avión, yo ***iría*** a una isla privada.
2. (ser) Si pudiera tener cualquier trabajo, yo ***sería*** embajador a España.
3. (ver) Si pudiera ver cualquier película esta noche, yo ***vería*** una romántica.
4. (sentirse) Si tuviera que tomar cinco exámenes hoy, yo ***me*** ***sentiría*** enfermo.

B. What would happen if you participated in an exchange program in Mexico? Read the following statements and decide which part of the sentence would use the imperfect subjunctive form of the verb and which part would use the conditional. Circle your choice in each part of the sentence. Follow the model.

Modelo Si (**comiera** / **comería**) en un restaurante mexicano, (**pidiera** / **pediría**) platos auténticos.

1. Si nuestros profesores (**fueran** / **serían**) más exigentes, nos (**dieran** / **darían**) exámenes todos los días.
2. Yo (**fuera** / **iría**) a las montañas si (**tuviera** / **tendría**) un caballo.
3. Si nosotros (**trabajáramos** / **trabajaríamos**) para el gobierno (**fuéramos** / **seríamos**) muy poderosos.
4. Si tú (**vendieras** / **venderías**) unas mercancías, (**ganaras** / **ganarías**) mucho dinero.

El imperfecto del subjuntivo con *si* (*continued*)

C. Conjugate the boldface verbs in the imperfect subjunctive and the underlined verbs in the conditional tense to form complete sentences. Follow the model.

Modelo Si / yo / **tener** / dinero / comprar / unas joyas preciosas
Si yo tuviera dinero, compraría unas joyas preciosas.

1. Si / nosotros / **hablar** / con nuestros antepasados / aprender / cosas interesantes
   Si nosotros habláramos con nuestros antepasados, aprenderíamos cosas interesantes.
2. Si / tú / **ir** / a México / el 1 de noviembre / celebrar / el Día de los Muertos
   Si tú fueras a México el 1 de noviembre, celebrarías el Día de los Muertos.
3. Si / yo / **tener** / un examen sobre los aztecas / sacar / una buena nota
   Si yo tuviera un examen sobre los aztecas, sacaría una buena nota.
4. Si / mis amigos / **tocar** / instrumentos / tener / una banda
   Si mis amigos tocaran instrumentos, tendrían una banda.
5. Si / yo / **hacer** / un viaje a la Costa del Sol / nadar en el mar
   Si yo hiciera un viaje a la Costa del Sol, nadaría en el mar.

- After **como si** ("as if") you must **always** use the imperfect subjunctive. The other verb can be in either the present or the past tense.

  Martín habla como si *fuera* un hombre poderoso.
  Martin speaks as if he were a powerful man.

  La comida del restaurante era tan buena que él se sentía como si *estuviera* en España.
  The food at the restaurant was so good that he felt as if he were in Spain.

D. Complete each of the following sentences with the imperfect subjunctive form of the verb given. Follow the model.

Modelo (tener) Juan Pablo Fernández tiene 80 años, pero baila como si *tuviera* 20.

1. (hacer) Hace calor hoy, pero Pepita está vestida como si ***hiciera*** frío.
2. (querer) Marta hablaba de México como si ***quisiera*** vivir allí.
3. (ser) Rafael cocinaba como si ***fuera*** un chef profesional.
4. (estar) ¡Mi mamá habla como si ***estuviera*** enojada conmigo!
5. (tener) Conchita gasta dinero como si ***tuviera*** un millón de dólares.

© Pearson Education, Inc. All rights reserved.

Puente a la cultura (pp. 370–371)

A. You are about to read an article about missions established in California in the 18th century. Check off all of the items in the following list that you think would be found in these missions. You can use the pictures in your textbook to give you ideas.

soldier barracks ✔	dance halls ___	a pool ___
eating areas ✔	a church ✔	rooms for priests ___

B. Look at the following excerpts from your reading and decide which is the best definition for each highlighted word. Circle your answer.

1. *«...tenían la función de recibir y **alimentar** a las personas que viajaban a través del territorio desconocido»*
   a. educar **b.** aconsejar (**c.**) dar comida
2. *«Las misiones incluían una iglesia, cuartos para los sacerdotes, depósitos, casas para mujeres **solteras**...»*
   a. tristes (**b.**) no son casadas **c.** con sombra
3. *«Muchas personas **recorren** hoy el Camino Real...»*
   (**a.**) viajar por **b.** correr rápidamente **c.** nadar

C. Read the following excerpt from the reading. List the three functions of the missions mentioned.

> *Las misiones fueron creadas no sólo para enseñar la religión cristiana a los indígenas sino también para enseñarles tareas que pudieran realizar en la nueva sociedad española. Asimismo (Likewise) tenían la función de recibir y alimentar a las personas que viajaban a través del territorio desconocido de California.*

1. ***enseñar la religión cristiana a los indígenas***
2. ***enseñarles tareas a los indígenas***
3. ***recibir y alimentar a las personas que viajaban por California***

D. Look at the paragraph on page 371 of the reading and fill in the key pieces of information below.

1. El nombre del hombre que fundó las misiones: ***Fray Junípero Serra***
2. El número de misiones que fundó: ***9***
3. El nombre de la ruta en la que se encuentran las misiones: ***El Camino Real***

Lectura (pp. 376–378)

A. In this story, a modern-day teenager is transported into the world of the Aztecs just prior to the arrival of Hernán Cortés. What background information do you remember about the Aztecs from what you have learned in this chapter? List two elements in each category below.

1. religion: ***Possible answers: the Aztecs placed great importance on religion, they had many gods, which were mainly some form of animal, and they sometimes wore elaborate costumes for ceremonies (sacrifices)***
2. architecture: ***Possible answers: the pyramids of Teotihuacán, other Aztec ruins such as the ball court, or even Mayan structures that influenced Aztec architecture.***

B. The first part of this story finds the protagonist, Daniel, in a very confusing situation. How does he figure out where he is? Check off all of the clues below that he uses to try to determine where, and when he is.

- ☑ está durmiendo en un *petate* y no en su cama
- ☐ lleva jeans y una camiseta
- ☐ el emperador Moctezuma está en su casa
- ☑ habla un idioma extraño
- ☑ su novia lo llama "Tozani" y "esposo"

C. Daniel determines the date by using his knowledge of the Aztec calendar and the Aztec dates his "wife" gives him. Read the excerpt and fill in the dates below in the Aztec and then the modern form.

> *—Acatl. El año 1-Caña, el día de 2-Casas.*
> *Trato de recordar el calendario azteca. Un escalofrío (chill) me invade el cuerpo cuando por fin descifro el significado de aquella fecha. Acatl, equivalente al año 1519 del calendario cristiano. El día 2-Casas, o sea, el 29, probablemente del mes de junio. Un mes antes de la entrada de Hernán Cortés en Tenochtitlán.*

	Azteca		Moderna
El año	***1-Caña***	El año	***El año 1519***
El día	***el día de 2-Casas***	El día	***el día 29 de junio***

D. According to this account, does it seem the "beings" look more like humans or animals? Give examples.

Los mensajeros de Moctezuma que han visto a estos seres, cuentan que son grandes de estatura, que tienen la cara cubierta de cabello. Y algunos de ellos tienen cuatro patas enormes y dos cabezas, una de animal y otra de hombre.

1. According to this passage, who has seen these "beings"? ***Moctezuma's messengers***
2. What does it seem the "beings" look more like, man or animal, according to this account? Give examples.

   Suggested answer: It seems that they are more animal than man—hair covering their faces, four large feet.

3. These beings are described as tall and some as "two-headed". Why might Moctezuma think they were gods?

   Suggested answer: He might think they were gods because Aztec gods were mainly animals sometimes with odd features, such as Quetzalcoatl (the feathered serpent).

E. As you read the story, you have gone on a path of discovery with Daniel to find out who he is, where he is, and what he is supposed to do. By the end of the story, he has his situation figured out, but does not like the task he is given. Number the following statements in the order in which Daniel experiences them. Then, answer the question that follows.

3 Daniel se da cuenta de que su misión es llevar regalos a los «dioses blancos» y guiarlos a la ciudad de Tenochtitlán.

1 Daniel se da cuenta de que su nombre es «Tozani» y que tiene una esposa llamada «Chalchi».

2 Daniel se da cuenta de que tiene que ir a un lago y luego al Templo Mayor.

When Daniel has realized who he is and what he has been told to do, what is his reaction? Why does he react this way? (*Hint:* does he know something others do not?)

Suggested answer: Daniel is very upset because he knows that the Spanish are not "gods" and that they end up conquering the Aztecs and wiping out much of their civilization.

Verbos como *gustar* (p. 385)

- Remember that you use the verb **gustar** to talk about likes and dislikes. When you use **gustar**, the subject of the sentence is the thing that is liked or disliked.
- If the thing liked or disliked is a singular object or a verb, use the singular form of **gustar**.

  *(A mí) me **gusta** el camión amarillo.* *¿Te **gusta** conducir?*
- If the thing liked or disliked is a plural object, use the plural form of **gustar**.

  *Nos **gustan** los cuadernos con papel reciclado.*

A. First, underline the subject of each sentence. Then, circle the correct form of **gustar** to complete the sentence. **¡Recuerda!** The subject is the thing that is liked or disliked.

Modelo A los padres de Juana les ((gusta) / gustan) el parque.

1. A nadie le ((gusta) / gustan) la contaminación.
2. A mí me (gusta / (gustan)) los ríos claros.
3. A nosotros nos ((gusta) / gustan) el barrio Norte.
4. A mi hermano le (gusta / (gustan)) los coches rojos.

- **Gustar** is used with an indirect object pronoun to indicate to whom something is pleasing. The indirect object pronouns appear below.

me	nos
te	os
le	les

- To clarify the person to whom the indirect object pronoun refers, use the personal ***a*** plus a noun or a subject pronoun. This is often used with the pronouns **le** and **les**.

  ***A ella** le gustan los grupos que protegen el medio ambiente.*

  ***A los voluntarios** les gusta mejorar las condiciones para la gente.*

  You can also use the personal **a** plus a pronoun for emphasis.

  *A Marta le gusta pasear en barco pero **a mí** no me gusta porque no puedo nadar.*

B. Match the beginning of each of the following sentences with the correct ending. The first one has been done for you.

D 1. A los estudiantes... A. ...nos gusta colaborar.

B 2. A la gente... B. ...le gusta la naturaleza.

E 3. A mí... C. ...te gusta hacer trabajo voluntario?

C 4. ¿A ti... ~~D. ...no les gusta el tráfico.~~

A 5. A mis amigos y a mí... E. ...me gusta pasar tiempo en el aire libre.

Go Online WEB CODE jed-0901 PHSchool.com

© Pearson Education, Inc. All rights reserved.

Nombre ______ Hora ______

Fecha ______ AVSR, Sheet 2

- There are several other Spanish verbs that often follow the same pattern as **gustar**. Look at the list below.

encantar	to love	**doler**	to ache, to be painful
molestar	to bother	**faltar**	to lack, to be missing
preocupar	to worry	**quedar (bien/mal)**	to fit (well / poorly)
importar	to matter	**parecer**	to seem
interesar	to interest		

C. Write the correct indirect object pronoun and circle the correct form of the verb to complete each sentence. Follow the model.

Modelo A mis padres *les* (**encantaba** / **encantaban**) montar en bicicleta.

1. A mí ***me*** (**interesaba** / **interesaban**) los insectos.
2. A mis amigos ***les*** (**preocupaba** / **preocupaban**) la contaminación del lago que estaba cerca de su casa.
3. A nosotros ***nos*** (**dolía** / **dolían**) la espalda después de subir árboles.
4. A mi mejor amiga ***le*** (**importaba** / **importaban**) reciclar papel.
5. A ti ***te*** (**quedaba** / **quedaban**) mal los zapatos de tu papá.

D. Use the elements below to write complete sentences. You will need to add the appropriate indirect object pronoun and conjugate the verb in the present tense.

Modelo a mis padres / molestar / zonas de construcción.
A mis padres les molestan las zonas de construcción.

1. a mí / doler / los pies / después de correr
A mí me duelen los pies después de correr.
2. a ti / faltar / dinero / para comprar el carro
A ti te falta dinero para comprar el carro.
3. a nosotras / preocupar / las causas de la contaminación
A nosotras nos preocupan las causas de la contaminación.
4. a la profesora / importar / las buenas notas en los exámenes
A la profesora le importan las buenas notas en los exámenes.
5. a mí / encantar / manejar el camión de mi abuelo
A mí me encanta manejar el camión de mi abuelo.

Nombre ______ Hora ______

Fecha ______ AVSR, Sheet 3

Uses of the definite article (p. 387)

- In general, the definite article (**el, la, los, las**) is used in Spanish the same way it is in English, whenever you need the word "the." However, it is also sometimes used in Spanish when it is not needed in English, in the following ways:
- When you are referring to someone by a name and title, in front of the title (Note: This is not used when speaking directly to the person.)
  El doctor Fuentes no está aquí hoy. *Hola, profesora Martínez.*
- With a street, avenue, park, or other proper name.
  La avenida Yacútoro es una calle muy larga.
- In front of a noun that represents an entire species, institution or generality.
  *Los gatos duermen más que **los** perros.* ***La felicidad** es fundamental.*

A. Read the following sentences to determine the reason the underlined definite article is needed. Write **T** for title (such as profession), **P** for proper name, and **G** for generality.

Modelo *G* El chocolate es delicioso.

1. ***T*** La profesora Corzano llega a las nueve.
2. ***G*** Las universidades son instituciones importantes.
3. ***P*** La Torre Eiffel está en Francia.
4. ***P*** El Parque Nacional de Yellowstone es impresionante.
5. ***G*** Los policías de nuestro barrio son valientes.
6. ***P*** Caminamos por la calle Córdoba.

B. Complete each sentence with the appropriate definite article. Follow the model.

Modelo Mi profesor de biología es *el* Sr. Rivera.

1. ***Las*** hormigas son insectos que me molestan mucho.
2. Hay un semáforo en la esquina de ***las*** avenidas Santiago y Castillo.
3. ***La*** señora Ramos fue a las montañas para acampar.
4. Voy a ir a Guatemala con ***el*** doctor Jiménez para estudiar la selva tropical.
5. ***El*** respeto es una parte importante de las relaciones.
6. ***Los*** terremotos destruyen muchas casas cada año.

- The definite articles are also used with certain time expressions that refer to age, days of the week, hours (time of day) and seasons. Look at the examples below.

  *Aprendí a manejar a **los 16 años**.* *Vamos a salir a **las 8** de la mañana.*
  *La cena para los honrados es **el viernes**.* ***El verano** es mi estación favorita.*

C. Circle the correct definite article to complete each sentence. Follow the model.

Modelo Voy a graduarme de la escuela secundaria a (las / (los)) 18 años.

1. Me gusta muchísimo ((el) / la) otoño porque hace fresco.
2. La tormenta empezó a (los / (las)) diez de la noche.
3. El viaje al bosque es ((el) / los) miércoles que viene.
4. A ((los) / la) 5 años, mi papá vio un oso feroz en el bosque.

- The definite article is also included when it is an inseparable part of the name of a country or city, such as **El Salvador**, **La Paz**, and **La Habana**.
- Remember that the combination **a** + **el** produces the contraction *al* and the combination **de** + **el** produces the contraction *del*.

  *Salimos **del** parque zoológico y después caminamos **al** parque nacional.*
- However, when **el** is part of a proper name, it does not combine with **a** or **de**.

  *Viajamos **a El** Paso, Texas.* *Somos **de El** Salvador.*

D. Combine the first part of the sentence with the phrase in parentheses, creating **al** or **del** when necessary. Remember, this only occurs with the article **el**, but not with proper names. Follow the model.

Modelo Vamos a ir a (el campo). Vamos a ir *al campo*.

1. Mis amigos salieron de (el desierto). Mis amigos salieron ***del desierto***.
2. Dimos una caminata a (las montañas). Dimos una caminata ***a las montañas***.
3. Quiero viajar a (el desierto africano). Quiero viajar ***al desierto africano***.
4. Nosotros venimos de (La Paz). Venimos ***de La Paz***.
5. Me gustaría viajar a (el fondo del mar). Me gustaría viajar ***al fondo del mar***.
6. Carlos viene de (El Cajón), California. Viene ***de El Cajón***.

Write the Spanish vocabulary word below each picture. If there is a word or phrase, copy it in the space provided. Be sure to include the article for each noun.

el *desperdicio*	*el* *veneno*	*contaminado*, *contaminada*
echar	*el* *petróleo*	 *la* *pila*
agotar(se) *agotar(se)*	**amenazar** *amenazar*	**castigar** *castigar*

Realidades 3 | Nombre ____ Hora ____

Capítulo 9 | Fecha ____ **Vocabulary Flash Cards, Sheet 2**

Copy the word or phrase in the space provided. Be sure to include the article for each noun.

colocar *colocar*	**conservar** *conservar*	**la contaminación** *la* *contaminación*
crecer *crecer*	**dañar** *dañar*	**debido a** *debido* *a*
depender de *depender* *de*	**deshacerse de** *deshacerse* *de*	**desperdiciar** *desperdiciar*

Realidades 3 | Nombre ____ Hora ____

Capítulo 9 | Fecha ____ **Vocabulary Flash Cards, Sheet 3**

Copy the word or phrase in the space provided. Be sure to include the article for each noun.

económico, económica *económico* , *económica*	**la electricidad** *la* *electricidad*	**en cuanto** *en* *cuanto*
la escasez *la* *escasez*	**estar a cargo (de)** *estar* *a* *cargo (de)*	**fomentar** *fomentar*
el gobierno *el* *gobierno*	**grave** *grave*	**limitar** *limitar*

Realidades 3 Nombre ______ Hora ______

Capítulo 9 Fecha ______ **Vocabulary Flash Cards, Sheet 4**

Copy the word or phrase in the space provided. Be sure to include the article for each noun.

el pesticida *el* *pesticida*	**promover** *promover*	**la protección** *la* *protección*
químico, química *químico* , *química*	**el recipiente** *el* *recipiente*	**el recurso natural** *el* *recurso* *natural*
suficiente *suficiente*	**tan pronto como** *tan* *pronto* *como*	**tomar medidas** *tomar* *medidas*

Realidades 3 Nombre ______ Hora ______

Capítulo 9 Fecha ______ **Vocabulary Flash Cards, Sheet 5**

Copy the word or phrase in the space provided. Be sure to include the article for each noun. The blank cards can be used to write and practice other Spanish vocabulary for the chapter.

ambiental *ambiental*	**la atmósfera** *la* *atmósfera*	**la amenaza** *la* *amenaza*
la fábrica *la* *fábrica*	**en vez de** *en* *vez* *de*	

Realidades 3 | Nombre ______ Hora ______

Capítulo 9 | Fecha ______

Vocabulary Check, Sheet 1

Tear out this page. Write the English words on the lines. Fold the paper along the dotted line to see the correct answers so you can check your work.

agotar(se)	***to exhaust, to run out***
la amenaza	***threat***
amenazar	***to threaten***
ambiental	***environmental***
castigar	***to punish***
colocar	***to put, to place***
conservar	***to preserve***
la contaminación	***pollution***
contaminado, contaminada	***polluted***
crecer	***to grow***
dañar	***to damage***
debido a	***due to***
depender de	***to depend on***
deshacerse de	***to get rid of***
desperdiciar	***to waste***
el desperdicio	***waste***

Fold In

Realidades 3 | Nombre ______ Hora ______

Capítulo 9 | Fecha ______

Vocabulary Check, Sheet 2

Tear out this page. Write the Spanish words on the lines. Fold the paper along the dotted line to see the correct answers so you can check your work.

to exhaust, to run out	***agotar(se)***
threat	***la amenaza***
to threaten	***amenazar***
environmental	***ambiental***
to punish	***castigar***
to put, to place	***colocar***
to preserve	***conservar***
pollution	***la contaminación***
polluted	***contaminado, contaminada***
to grow	***crecer***
to damage	***dañar***
due to	***debido a***
to depend on	***depender de***
to get rid of	***deshacerse de***
to waste	***desperdiciar***
waste	***el desperdicio***

Fold In

Nombre ____________ Hora ________

Fecha ____________

Vocabulary Check, Sheet 3

Tear out this page. Write the English words on the lines. Fold the paper along the dotted line to see the correct answers so you can check your work.

echar	***to throw (away)***
la electricidad	***electricity***
la escasez	***shortage***
estar a cargo de	***to be in charge of***
fomentar	***to encourage***
el gobierno	***government***
grave	***serious***
limitar	***to limit***
el pesticida	***pesticide***
el petróleo	***oil***
la pila	***battery***
promover	***to promote***
químico, química	***chemical***
el recipiente	***container***
tomar medidas	***to take steps (to)***
el veneno	***poison***

Fold In

Nombre ____________ Hora ________

Fecha ____________

Vocabulary Check, Sheet 4

Tear out this page. Write the Spanish words on the lines. Fold the paper along the dotted line to see the correct answers so you can check your work.

to throw (away)	***echar***
electricity	***la electricidad***
shortage	***la escasez***
to be in charge of	***estar a cargo de***
to encourage	***fomentar***
government	***el gobierno***
serious	***grave***
to limit	***limitar***
pesticide	***el pesticida***
oil	***el petróleo***
battery	***la pila***
to promote	***promover***
chemical	***químico, química***
container	***el recipiente***
to take steps (to)	***tomar medidas***
poison	***el veneno***

Fold In

Go Online WEB CODE jed-0902 PHSchool.com

Conjunciones que se usan con el subjuntivo y el indicativo (p. 398)

- Spanish has several conjunctions that refer to time.

cuando: when	**en cuanto**: as soon as
después (de) que: after	**mientras**: while, as long as
tan pronto como: as soon as	**hasta que**: until

- These time conjunctions are followed by the subjunctive when they refer to actions that have not yet occurred.

  Vamos a usar coches eléctricos *tan pronto como* se agote el petróleo.
  We are going to use electric cars as soon as oil runs out.

A. Complete each sentence with the correct form of the present subjunctive.

Modelo (sembrar) Habrá peligro de deforestación mientras nosotros no *sembremos* suficientes árboles.

1. (terminar) Reciclaré el periódico cuando yo ***termine*** de leerlo.
2. (estar) Vamos a colocar estos recipientes en el depósito de reciclaje tan pronto como ***estén*** vacíos.
3. (dejar) La contaminación no se eliminará hasta que la fábrica ***deje*** de echar sustancias químicas al lago.
4. (beber) En cuanto ***beba*** este refresco, voy a reciclar la botella.

- These time conjunctions are followed by the preterite when the action that follows has already taken place.

  Jorge recicló las latas tan pronto como *tuvo* tiempo.
  Jorge recycled the cans as soon as he had time.

- If the action occurs regularly, the verb will be in the present indicative.

  Uso productos reciclados cuando *puedo*. *I use recycled products when I can.*

B. Look at the underlined part of each sentence below and write **I** if it is in the indicative mood or **S** if it is in the subjunctive mood. Base your decision on whether the underlined part is something that has already happened or occurs regularly (indicative) or whether it has not yet happened (subjunctive). Follow the model.

Modelo *I* Los peces mueren cuando el agua del lago se contamina.

1. ***I*** El agricultor usó pesticidas hasta que encontró productos orgánicos.
2. ***S*** El medio ambiente sufrirá mientras no conservemos los recursos naturales.
3. ***S*** Dejaré de molestarte en cuanto tú aprendas a reciclar.
4. ***I*** Usan pesticidas mientras los insectos se comen las verduras.

C. Look at the first verb in each sentence to determine how to conjugate the second verb. If the verb is an action that happened, use the preterite; if the action has not yet taken place, use the present subjunctive; and if the first verb describes something that occurs regularly, use the present indicative. Follow the model.

Modelo (beber)
a. Yo reciclo las botellas cuando *bebo* jugo.
b. Yo reciclaré esta botella cuando *beba* el jugo.
c. Yo reciclé la botella cuando *bebí* jugo ayer.

1. (lavar)
   a. Yo cerrarré la llave del agua tan pronto como ***lave*** estos platos.
   b. Yo cerré la llave del agua tan pronto como ***lavé*** los platos ayer.
   c. Yo siempre cierro la llave del agua tan pronto como ***lavo*** los platos.
2. (leer)
   a. Los estudiantes trabajaron para resolver el problema después de que la profesora les ***leyó*** un artículo.
   b. Los estudiantes trabajarán para resolver el problema después de que la profesora les ***lea*** un artículo.
   c. Los estudiantes generalmente trabajan para resolver problemas después de que la profesora les ***lee*** artículos.

- You must always follow the conjunction **antes de que** with the subjunctive.
  *Voy a comprar un carro eléctrico antes de que este verano **termine**.*
- With the conjunctions **antes de, después de,** and **hasta,** conjugate the verbs only if there is a subject change. If there is no subject change, use the infinitive.
  Voy a comprar un carro eléctrico después de ahorrar mucho.

D. Circle the choice that correctly completes each sentence. If there is only one subject, choose the infinitive. If there are two subjects, choose the subjunctive.

Modelo Estaré a cargo del club estudiantil después de que la presidenta actual (**graduarse** / (**se gradúe**)).

1. Reciclaremos este papel después de ((**escribir**) / **escribamos**) el reportaje.
2. Los estudiantes empezarán a escribir antes de que la profesora (**llegar** / (**llegue**)).
3. Estudiarás hasta ((**aprender**) / **aprendas**) más sobre el medio ambiente.
4. Usaremos más energía solar después de que el petróleo (**agotarse** / (**se agote**)).
5. Limpiaremos el lago antes de que los peces (**morir** / (**mueran**)).

Los pronombres relativos *que, quien,* y *lo que* (p. 402)

- Relative pronouns are used to combine two sentences or to provide clarifying information. In Spanish, the most commonly used relative pronoun is **que**. It is used to refer either to people or to things, and can mean "that," "which," "who," or "whom."

  Se deshicieron del veneno *que* mató las hormigas.
  They got rid of the poison that killed the ants.

A. Your biology class is touring the community with an environmental expert. Match the beginnings of the tour guide's sentences with the most logical endings.

_C_ 1. Estos son los contaminantes...
_A_ 2. Ésta es la fábrica...
_E_ 3. Éstos son los recipientes...
_D_ 4. La profesora Alcatrán es la persona...
_B_ 5. Ésas son las estudiantes...

A. ... que produce los contaminantes.
B. ... que hacen trabajo voluntario para educar a las personas sobre la contaminación.
~~C. ... que dañan el medio ambiente.~~
D. ... que dirige la organización *Protege la tierra.*
E. ... que contienen los productos químicos.

- When you use a preposition, such as **a, con,** or **en,** with a relative pronoun, **que** refers to things and **quien(es)** refers to people.

  El producto *con que* lavé el piso contiene algunos químicos.
  The product with which I washed the floor contains some chemicals.
  La mujer *de quien* hablo es una científica importante.
  The woman about whom I am speaking is an important scientist.
  Los jefes *para quienes* trabajo insisten en que reciclemos.
  The bosses for whom I work insist that we recycle.
- Notice that you use **quien** if the subject is singular and **quienes** if it is plural.

B. Read each sentence and determine whether the subject refers to a person or a thing. Then, circle the correct relative pronoun to complete the sentence.

Modelo El profesor a (que / (quien)) le hicimos las preguntas es el Sr. Rodríguez.

1. La situación en ((que) / quien) me encuentro es divertida.
2. Los reporteros a (quien / (quienes)) pedí prestado el video ya salieron.
3. Los recursos con ((que) / quienes) trabajamos son escasos.
4. Los estudiantes con (que / (quienes)) hicimos los experimentos desaparecieron.

C. Fill in the sentences with **que, quien,** or **quienes**. Remember that **quien(es)** is only used after a preposition. When you refer to people without a preposition, use **que**.

Modelo El muchacho con _quien_ trabajé limpiando una sección del río se llama Manuel.

1. Nosotros vivimos en una comunidad _**que**_ se preocupa mucho por conservar los recursos naturales.
2. Hay un autobús _**que**_ va directamente al centro comercial. No es necesario ir en carro.
3. Los estudiantes de _**quienes**_ hablo trabajan en una fábrica durante el verano.
4. El senador a _**quien**_ le escribí una carta me respondió la semana pasada.

- The relative phrase **lo que** is used to refer to situations, concepts, actions, or objects that have not yet been identified.

  Todos escuchamos con atención *lo que* el profesor dijo sobre la protección del planeta.
  We all listened carefully to what the professor said about the protection of the planet.
  ***Lo que* necesitamos es más voluntarios.**
  What (The thing) we need is more volunteers.
- As seen in the example above, **lo que** often occurs at the beginning of a sentence.

D. Complete each of the following sentences with **que** or **lo que**. Remember that you will use **que** to clarify a specific thing and **lo que** to refer to something abstract or not yet mentioned. Follow the model.

Modelo _Lo que_ me molesta más es el uso de los contaminantes.

1. La organización _**que**_ escribió esos artículos hace muchas cosas buenas.
2. No podemos hacer todo _**lo que**_ queremos para mejorar las condiciones.
3. Ayer hubo un accidente _**que**_ afectó el medio ambiente.
4. _**Lo que**_ queremos hacer es crear un grupo para limpiar una sección de la carretera.
5. Hay muchos contaminantes en el aire, _**lo que**_ no es bueno para la respiración.
6. El petróleo _**que**_ usamos se va a agotar algún día.

Write the Spanish vocabulary word or phrase below each picture. Be sure to include the article for each noun.

el *agujero*	*la* *capa* *de* *ozono*	*el* *efecto* *invernadero*
el *águila* *calva*	*el* *ave*	*la* *ballena*
la *foca*	*la* *pluma*	*el* *derrame* *de* *petróleo*

Write the Spanish vocabulary word below each picture. If there is a word or phrase, copy it in the space provided. Be sure to include the article for each noun.

el *hielo*	*derretir*	**a menos que** *a* *menos* *que*
el aerosol *el* *aerosol*	**afectar** *afectar*	**atrapar** *atrapar*
la atmósfera *la* *atmósfera*	**la caza** *la* *caza*	**el clima** *el* *clima*

Realidades 3 Nombre ______ Hora ______

Capítulo 9 Fecha ______ **Vocabulary Flash Cards, Sheet 8**

Copy the word or phrase in the space provided. Be sure to include the article for each noun.

con tal que *con* *tal* *que*	**detener** *detener*	**disminuir** *disminuir*
la especie *la* *especie*	**excesivo, excesiva** *excesivo* , *excesiva*	**explotar** *explotar*
la falta *la* *falta*	**la limpieza** *la* *limpieza*	**en peligro de extinción** *en* *peligro* *de* *extinción*

Realidades 3 Nombre ______ Hora ______

Capítulo 9 Fecha ______ **Vocabulary Flash Cards, Sheet 9**

Copy the word or phrase in the space provided. Be sure to include the article for each noun.

la piel *la* *piel*	**la preservación** *la* *preservación*	**producir** *producir*
el recalentamiento global *el* *recalentamiento* *global*	**el rescate** *el* *rescate*	**la reserva natural** *la* *reserva* *natural*
salvaje *salvaje*	**la selva tropical** *la* *selva* *tropical*	**tomar conciencia de** *tomar* *conciencia* *de*

Realidades 3 Nombre ______ Hora ______

Capítulo 9 Fecha ______ **Vocabulary Check, Sheet 5**

Tear out this page. Write the English words on the lines. Fold the paper along the dotted line to see the correct answers so you can check your work.

el aerosol	***aerosol***
afectar	***to affect***
el agujero	***hole***
el águila calva (*pl.* las águilas calvas)	***bald eagle***
atrapar	***to catch, to trap***
el ave	***bird***
la ballena	***whale***
la caza	***hunting***
la capa de ozono	***ozone layer***
el clima	***weather***
el derrame de petróleo	***oil spill***
derretir	***to melt***
detener	***to stop***
disminuir	***to decrease, to diminish***
el efecto invernadero	***greenhouse effect***

Fold In

Realidades 3 Nombre ______ Hora ______

Capítulo 9 Fecha ______ **Vocabulary Check, Sheet 6**

Tear out this page. Write the Spanish words on the lines. Fold the paper along the dotted line to see the correct answers so you can check your work.

aerosol	***el aerosol***
to affect	***afectar***
hole	***el agujero***
bald eagle	***el águila calva (pl. las águilas calvas)***
to catch, to trap	***atrapar***
bird	***el ave***
whale	***la ballena***
hunting	***la caza***
ozone layer	***la capa de ozono***
weather	***el clima***
oil spill	***el derrame de petróleo***
to melt	***derretir***
to stop	***detener***
to decrease, to diminish	***disminuir***
greenhouse effect	***el efecto invernadero***

Fold In

Nombre ______ Hora ______

Fecha ______

Vocabulary Check, Sheet 7

Tear out this page. Write the English words on the lines. Fold the paper along the dotted line to see the correct answers so you can check your work.

en peligro de extinción	***(in) danger of extinction, endangered***
la especie	***species***
excesivo, excesiva	***excessive***
explotar	***to exploit, to overwork***
la falta	***lack***
la foca	***seal***
el hielo	***ice***
la limpieza	***cleaning***
la piel	***skin***
la pluma	***feather***
la preservación	***conservation***
el recalentamiento global	***global warming***
el rescate	***rescue***
la reserva natural	***nature preserve***
salvaje	***wild***
la selva tropical	***tropical forest***
tomar conciencia de	***to become aware of***

Fold In

Nombre ______ Hora ______

Fecha ______

Vocabulary Check, Sheet 8

Tear out this page. Write the Spanish words on the lines. Fold the paper along the dotted line to see the correct answers so you can check your work.

(in) danger of extinction, endangered	***en peligro de extinción***
species	***la especie***
excessive	***excesivo, excesiva***
to exploit, to overwork	***explotar***
lack	***la falta***
seal	***la foca***
ice	***el hielo***
cleaning	***la limpieza***
skin	***la piel***
feather	***la pluma***
conservation	***la preservación***
global warming	***el recalentamiento global***
rescue	***el rescate***
nature preserve	***la reserva natural***
wild	***salvaje***
tropical forest	***la selva tropical***
to become aware of	***tomar conciencia de***

Fold In

Go Online WEB CODE jed-0906 PHSchool.com

Más conjunciones que se usan con el subjuntivo y el indicativo (p. 412)

- Earlier in this chapter, you learned some conjunctions that can be followed by the subjunctive or the indicative. Below is another list of conjunctions. These conjunctions are usually followed by the subjunctive to express the purpose or intention of an action.

  con tal (de) que: provided that — **para que**: so that
  a menos que: unless — **sin que**: without
  aunque: even if, even though, although

  Las águilas calvas desparecerán *a menos que* trabajemos para protegerlas.
  Bald eagles will disappear unless we work to protect them.

A. Circle the conjunction that most logically completes each sentence, according to the context. Follow the model.

Modelo Van a la marcha (**para que** / **a menos que**) los animales estén protegidos. (circled: para que)

1. No podemos usar aerosoles (**sin que** / **a menos que**) produzcan agujeros en la capa de ozono. (circled: sin que)
2. Las selvas tropicales serán bonitas (**a menos que** / **con tal de que**) no las explotemos. (circled: con tal de que)
3. El presidente va a crear una ley (**para que** / **sin que**) nadie pueda cazar las ballenas. (circled: para que)
4. Tenemos que tomar conciencia de los problemas (**para que** / **aunque**) sea difícil hacerlo. (circled: aunque)
5. El grupo de voluntarios construirá una reserva natural (**sin que** / **a menos que**) no tenga suficiente dinero. (circled: a menos que)

B. Complete the sentences with the correct present subjunctive form of the verbs in parentheses. Follow the model.

Modelo (usar) Puedes protegerte de los rayos ultravioleta con tal de que *uses* anteojos de sol y loción protectora para sol.

1. (proteger) Las especies en peligro de extinción no van a sobrevivir a menos que nosotros las ***protejamos***.
2. (hacer) La condición del planeta no puede mejorar sin que todas las personas ***hagan*** un esfuerzo.
3. (tener) El gobierno va a crear varias reservas naturales para que los animales ***tengan*** un lugar protegido donde vivir.
4. (poder) Es importante entender los peligros del efecto invernadero, aunque tú no ***puedas*** ver todos sus efectos personalmente.

- With the conjunctions **para** and **sin**, use the infinitive if the subject of the sentence does not change.

  Trabajo *para proteger* los animales. *I work to protect animals.*

C. Complete each sentence below. If there is no subject change, choose **para** or **sin**. If there is a subject change, choose **para que** or **sin que**.

Modelo No debes comprar estos productos (**sin** / **sin que**) pensar. (circled: sin)

1. La policía investigará el problema (**sin** / **sin que**) la compañía lo sepa. (circled: sin que)
2. Distribuiremos los artículos (**para** / **para que**) los lea el dueño. (circled: para que)
3. Ellos se pondrán camisetas y anteojos (**para** / **para que**) protegerse la piel. (circled: para)
4. Los turistas deben disfrutar del parque (**sin** / **sin que**) dañarlo. (circled: sin)

D. Circle the conjuction in each sentence. Then, complete each sentence with the infinitive or the present subjunctive of the verb in parentheses.

Modelo (rescatar) Nosotros hacemos un viaje (para) *rescatar* las ballenas.

1. (conseguir) No podemos visitar la selva tropical (sin) ***conseguir*** una guía.
2. (poder) Debo salir de la cocina (para que) mamá ***pueda*** cocinar.
3. (dar) Esa foca no va a sobrevivir (sin que) nosotros le ***demos*** comida.
4. (explicar) Un científico vino a la clase (para) ***explicar*** el efecto invernadero.

The conjunction **aunque** is followed by the subjunctive when it expresses uncertainty. It is followed by the indicative when there is no uncertainty.
Aunque la ballena esté muy enferma, vamos a cuidarla.
Even though the whale may be very sick, we are going to take care of it.
Aunque la ballena está muy enferma, vamos a cuidarla.
Even though the whale is very sick, we are going to take care of it.

E. Select the best English translation for the underlined portion of each sentence.

1. Aunque no haya mucha gente, debemos continuar con la marcha.
   ☐ there aren't a lot of people ☑ there may not be a lot of people
2. Aunque son nuevos, los viajes de ecoturismo son muy populares.
   ☑ they are new ☐ they may be new
3. Aunque no te guste, es más importante protegerte del sol que estar bronceado.
   ☐ you don't like it ☑ you may not like it
4. Aunque el hielo se derrite, no habrá una inundación en este lugar.
   ☑ the ice is melting ☐ the ice may be melting

Puente a la cultura (pp. 416–417)

A. This reading contains several *cognates*, or words that look and sound like English words with the same meaning. See if you can determine what the following words mean:

1. volcánico: ***volcanic***
2. piratas: ***pirates***
3. tortugas: ***tortoises***
4. velocidad: ***velocity/speed***
5. mamíferos: ***mammals***
6. flora y fauna: ***flora and fauna (plant and animal life)***

B. Look at the statements below and match them with the century (**siglo**) in which they happened according to the reading. Use the topic sentences in the reading to help you.

a. el siglo XX (1900s) **c.** el siglo XVII (1600s)
b. el siglo XVIII (1700s) **d.** el siglo XIX (1800s)

1. ***c*** Los piratas ingleses llegaron a las islas.
2. ***b*** Los balleneros llegaron y cazaron muchas tortugas.
3. ***d*** Charles Darwin llegó a las islas e hizo un estudio para escribir su libro *El origen de las especies.*
4. ***a*** El gobierno ecuatoriano estableció una reserva natural.

C. The Galápagos Islands, once a perserved paradise, have suffered greatly in recent years. Look at the following list and cross out the one item that is *not* an issue that has affected the Galápagos Islands.

extinción de algunas especies	~~terremotos~~
exceso de población	faltas de recursos del gobierno ecuatoriano

D. In the Galápagos Islands, the government needed to get involved in order to save rare species of plants and animals. Can you think of other places where the government or environmental organizations have helped with preservation efforts? Think of the places you have studied or visited. Explain why outside involvement was needed to help save local wildlife.

Answers will vary. Possible answers include: The rain forest (Costa Rica, Peru, et al), the Everglades in Florida, Antarctica, the Arctic Ocean.

Lectura (pp. 422–424)

A. You are about to read an article about the monarch butterfly. Based on your previous knowledge or what you can determine from the pictures accompanying the text, write three characteristics that describe a monarch butterfly.

1. ***Answers will vary. Possible answers: they are beautiful, black and orange, migrate, fly in groups, etc.***
2.
3.

B. Try to use context to help you detemine the meaning of the terms from the reading in your textbook which you may not know. Read the following selections and write the letter of the definition that best corresponds with the highlighted phrase.

a. en la última parte de **b.** aproximadamente **c.** setenta y cinco por ciento

1. *«**Tres cuartas partes** de los animales que viven en la tierra son insectos.»* ***c***
2. *«Las mariposas, en general, viven **alrededor de** 24 días»* ***b***
3. *« Llegan **a fines de** octubre a la zona entre...»* ***a***

C. The introduction to the reading in your textbook includes several descriptions of the monarch butterfly. Read the first two paragraphs on page 422 and decide which of the following descriptions of the monarch butterfly are mentioned. Indicate with a check mark.

1. ✓ hermosa
2. ____ más grande que la mayoría de las mariposas
3. ✓ agente polinizador
4. ✓ vive más tiempo que otras mariposas
5. ____ sólo vive en lugares tropicales
6. ✓ resistente a las condiciones del clima

Nombre ______ Hora ______

Fecha ______ **Reading Activities, Sheet 3**

D. Look at each section title on pages 423 and 424 of the reading in your textbook. Based on the title given, decide which choice would most accurately represent what that section is about. Circle your choice.

1. **Llegada a México**
   a. los conquistadores españoles llegan a México
   (b.) el camino de la mariposa monarca
2. **Hibernación**
   (a.) cómo pasan el invierno — b. cómo pasan de un lugar al otro
3. **Migración**
   (a.) cómo sobreviven mudándose de un lugar al otro
   b. qué comen
4. **Refugios**
   (a.) dónde se reunen para pasar el invierno — b. sus colores
5. **Peligros**
   a. dónde viven — (b.) qué los amenaza

E. Now look more closely at each section. Use the following cues to help you look for a key piece of information in each section. Write in the most appropriate words to complete the statements from each section.

1. **Llegada a México**
   Las mariposas monarca vuelan de ***Canadá*** a ***México*** antes de octubre, y regresan en abril.
2. **Hibernación**
   Las mariposas monarca pasan el invierno en ***la Sierra Madre***, unas montañas que se encuentran entre Michoacán y el Estado de México.
3. **Migración**
   El número de mariposas monarca que llega a México para pasar el invierno todos los años está entre ***100*** y ***140*** millones.
4. **Refugios**
   Las mariposas monarca pasan el invierno en ***bosques*** al lado de las montañas.
5. **Peligros**
   Dos acontecimientos que causaron posibles peligros a las mariposas monarca fueron un ***incendio*** en 2001 y una ***tormenta (de invierno)*** en 2003.

Nombre ______ Hora ______

Fecha ______ **AVSR, Sheet 1**

Pretérito vs. imperfecto (p. 431)

- Remember that you must determine whether to use the preterite or the imperfect when speaking in Spanish about the past.

  Use the preterite:
  - to talk about past actions or a sequence of actions that are considered complete.
    *Mis padres **fueron** a la escuela y **hablaron** con mi profesor.*

  Use the imperfect:
  - to talk about repeated or habitual actions in the past
    *Yo siempre **hacía** mis tareas después de la escuela.*
  - to provide background information or physical and mental descriptions
    *Nacha, una chica que **tenía** diez años, **estaba** enojada.*
  - to convey two or more actions that were taking place simultaneously in the past.
    *Yo **leía** mientras mis padres **preparaban** la cena.*

A. Read the following sentences and decide if the action is a completed action (**C**), a habitual/repeated action (**H**) or background information (**B**). Follow the model.

Modelo Los científicos **trabajaban** todos los días para proteger el medio ambiente. — C (H) B

1. El martes pasado el presidente **habló** sobre la injusticia. — (C) H B
2. Mi hermano mayor **tenía** 22 años. — C H (B)
3. Nuestro vecino nos **trajo** unos panfletos sobre la economía. — (C) H B
4. Los estudiantes siempre **luchaban** por leyes más justas. — C (H) B
5. Los miembros de la comunidad **estaban** muy entusiasmados. — C H (B)

B. Conjugate the verbs in parentheses in the preterite or imperfect to complete the sentences. Follow the model.

Modelo El verano pasado nosotros *fuimos* (ir) a un concierto en beneficio de los niños diabéticos.

1. Cuando mis padres ***eran*** (**ser**) niños, ellos siempre ***obedecían*** (**obedecer**) las reglas de su escuela.
2. De niña, mi vecina ***tenía*** (**tener**) pelo muy largo.
3. Yo ***cumplí*** (**cumplir**) con todas mis responsabilidades hoy.
4. En sus conciertos de escuela, mi prima ***cantaba*** (**cantar**) mientras mi primo ***tocaba*** (**tocar**) el piano.
5. Todos los estudiantes ***disfrutaron*** (**disfrutar**) de la fiesta del sábado pasado.

Pretérito vs. imperfecto (p. 431)

- You may use the preterite and imperfect together in one sentence when one action (preterite) interrupts another action that was already taking place (imperfect).
  *Nosotros **hacíamos** las tareas cuando nuestro vecino **llamó**.*

C. Complete the following sentences with the preterite or imperfect of the verbs in parentheses. Remember to put the background action in the imperfect and the interrupting action in the preterite.

Modelo Los soldados _luchaban_ (**luchar**) cuando _empezó_ (**empezar**) a llover.

1. Mi hermana menor ***estaba*** (**estar**) en la clase de ciencias cuando ***sonó*** (**sonar**) la alarma contra incendios.
2. Nosotros ***hablábamos*** (**hablar**) de las obligaciones de la sociedad cuando mi amigo ***salió*** (**salir**).
3. Constantino ***se cayó*** (**caerse**) cuando ***corría*** (**correr**) en el centro de la comunidad.
4. Yo ***jugaba*** (**jugar**) al fútbol con mis amigos cuando José ***metió*** (**meter**) un gol.
5. ¿Tú ***viste*** (**ver**) el accidente cuando ***caminabas*** (**caminar**) a la escuela?

D. Read the following paragraph about a surprising turn of events. Conjugate the verbs given in the preterite or imperfect, according to the context. The first one has been done for you.

Ayer después de clases, yo (1) _salí_ (**salir**) con mis padres. Yo (2) ***me sentía*** (**sentirse**) impaciente porque (3) ***tenía*** (**tener**) mucha tarea y (4) ***quería*** (**querer**) ver a mi novio. De repente, mi papá (5) ***paró*** (**parar**) el coche enfrente de mi restaurante favorito. Cuando nosotros (6) ***entramos*** (**entrar**) al restaurante, (yo) (7) ***vi*** (**ver**) que (8) ***estaban*** (**estar**) todos mis amigos con un pastel grande en honor de mi cumpleaños. ¡Qué sorpresa!

Verbos con distinto sentido en el pretérito y en el imperfecto (p. 433)

Remember that some verbs change meaning depending on whether they are used in the preterite or the imperfect tense. Look at the chart below for a reminder.

Verb	Preterite	Imperfect
conocer	met for the first time *Marta **conoció** a su mejor amiga en la escuela primaria.*	knew someone *El abogado y el juez **se conocían** muy bien.*
saber	found out, learned *El policía **supo** que el criminal se había escapado.*	knew a fact *Los ciudadanos **sabían** que tenían que obedecer la ley.*
poder	succeeded in doing *Después de mucho trabajo, la policía **pudo** arrestar al ladrón.*	was able to, could *El juez nos dijo que no **podíamos** hablar con nadie sobre el caso.*
querer	tried ***Quisimos** resolver el conflicto, pero fue imposible.*	wanted *El gobierno **quería** escuchar las opiniones de la gente.*
no querer	refused ***No quise** reunirme con el jefe. Salí temprano.*	didn't want *Nosotros **no queríamos** ir a la manifestación, pero fuimos.*

A. Match the conjugated forms of the following preterite and imperfect verbs with their English meanings. The first one has been done for you.

_D_ 1. supe
_F_ 2. pude
_E_ 3. sabía
_C_ 4. quise
_A_ 5. conocí
_B_ 6. no quería

A. I met (somebody) for the first time
B. I didn't want to
C. I tried to
D. ~~I found out, learned~~
E. I knew
F. I managed to, succeeded in

B. Circle the preterite or the imperfect form of the verb, according to the context.

Modelo (**Conocí** / **Conocía**) a mucha gente nueva en la manifestación.

1. (**Conocí** / **Conocía**) al hombre que la organizó. Era un amigo de mis padres.
2. No (**supe** / **sabía**) que la policía trabajaba con la organización.

3. Durante la manifestación, (**supe** / **sabía**) que un juez también luchaba contra el problema. *(supe circled)*
4. No (**supe** / **sabía**) mucho del problema antes de ir a la manifestación. *(sabía circled)*

C. Circle the correct preterite or the imperfect form of the verb given, according to the context. The first one has been done for you.

No (**quise** / **quería**) salir el viernes pasado porque tenía mucha tarea, pero fui al cine con mi mejor amiga. Después ella me preguntó si nosotras 2.(**pudimos** / **podíamos**) ir a un restaurante. Yo le dije que sí y cuando llegamos, ella pidió los calamares. ¡Qué asco! Yo 3.(**no quise** / **no quería**) comerlos así que pedí una pizza. Cuando recibimos la cuenta, nos dimos cuenta de que no teníamos dinero. No 4.(**quisimos** / **queríamos**) llamar a nuestros padres, pero no había otra opción. Mi padre nos trajo dinero y por fin 5.(**podíamos** / **pudimos**) pagar la cuenta.

(Circled: quería, podíamos, no quise, queríamos, pudimos)

D. Conjugate the verbs in the following sentences in the correct preterite or the imperfect form, depending on context. Follow the model.

Modelo (querer) Mi madre no *quiso* comer en ese restaurante. Se quedó en casa.

1. (poder) Después de hacer un gran esfuerzo, mis padres ***pudieron*** resolver el problema.
2. (saber) Yo siempre ***sabía*** que era muy importante decir la verdad.
3. (conocer) La semana pasada nosotros ***conocimos*** al boxeador que ganó la pelea reciente.
4. (poder) La policía le aseguró a la víctima que ***podía*** garantizar su seguridad.
5. (querer) Paco no ***quería*** respetar el límite de velocidad, pero la policía le dijo que tenía que hacerlo.
6. (conocer) El presidente y la senadora se ***conocían*** muy bien y se confiaban mucho.

Write the Spanish vocabulary word below each picture. If there is a word or phrase, copy it in the space provided. Be sure to include the article for each noun.

la *paz*	*votar*	**el abuso** — *el* *abuso*
adecuado, adecuada — *adecuado*, *adecuada*	**el/la adolescente** — *el/la* *adolescente*	**ambos** — *ambos*
aplicar (las leyes) — *aplicar (las leyes)*	**el apoyo** — *el* *apoyo*	**el armario** — *el* *armario*

Copy the word or phrase in the space provided. Be sure to include the article for each noun.

el asunto *el* *asunto*	**la autoridad** *la* *autoridad*	**el código de vestimenta** *el código* *de vestimenta*
de ese modo *de ese* *modo*	**el deber** *el* *deber*	**discriminado, discriminada** *discriminado*, *discriminada*
discriminar *discriminar*	**en cuanto a** *en* *cuanto a*	**la enseñanza** *la* *enseñanza*

Copy the word or phrase in the space provided. Be sure to include the article for each noun.

el estado *el* *estado*	**estar sujeto, sujeta a** *estar sujeto*, *sujeta a*	**la felicidad** *la* *felicidad*
funcionar *funcionar*	**gozar de** *gozar* *de*	**gratuito, gratuita** *gratuito*, *gratuita*
la igualdad *la* *igualdad*	**la injusticia** *la* *injusticia*	**la justicia** *la* *justicia*

Realidades 3 | Nombre ______ Hora ______

Capítulo 10 | Fecha ______ **Vocabulary Flash Cards, Sheet 4**

Copy the word or phrase in the space provided. Be sure to include the article for each noun.

la libertad *la* *libertad*	**libre** *libre*	**maltratar** *maltratar*
el maltrato *el* *maltrato*	**el motivo** *el* *motivo*	**la niñez** *la* *niñez*
obligar *obligar*	**el pensamiento** *el* *pensamiento*	**la pobreza** *la* *pobreza*

Realidades 3 | Nombre ______ Hora ______

Capítulo 10 | Fecha ______ **Vocabulary Flash Cards, Sheet 5**

Copy the word or phrase in the space provided. Be sure to include the article for each noun. The blank cards can be used to write and practice other Spanish vocabulary for the chapter.

la razón *la* *razón*	**el respeto** *el* *respeto*	**satisfactorio, satisfactoria** *satisfactorio* , *satisfactoria*
sufrir *sufrir*	**la tolerancia** *la* *tolerancia*	

Realidades 3 | Nombre ______ Hora ______

Capítulo 10 | Fecha ______

Vocabulary Check, Sheet 1

Tear out this page. Write the English words on the lines. Fold the paper along the dotted line to see the correct answers so you can check your work.

el abuso	***abuse***
adecuado, adecuada	***adequate***
ambos	***both***
aplicar (las leyes)	***to apply (the law)***
el apoyo	***support***
el armario	***locker***
el asunto	***subject***
la autoridad	***authority***
el código de vestimenta	***dress code***
el deber	***duty***
discriminado, discriminada	***discriminated***
discriminar	***to discriminate***
la enseñanza	***teaching***
el estado	***the state***
estar sujeto, sujeta a	***to be subject to***
la felicidad	***happiness***
funcionar	***to function***

Fold In ←

Realidades 3 | Nombre ______ Hora ______

Capítulo 10 | Fecha ______

Vocabulary Check, Sheet 2

Tear out this page. Write the Spanish words on the lines. Fold the paper along the dotted line to see the correct answers so you can check your work.

abuse	***el abuso***
adequate	***adecuado, adecuada***
both	***ambos***
to apply (the law)	***aplicar (las leyes)***
support	***el apoyo***
locker	***el armario***
subject	***el asunto***
authority	***la autoridad***
dress code	***el código de vestimenta***
duty	***el deber***
discriminated	***discriminado, discriminada***
to discriminate	***discriminar***
teaching	***la enseñanza***
the state	***el estado***
to be subject to	***estar sujeto, sujeta a***
happiness	***la felicidad***
to function	***funcionar***

Fold In ←

Realidades 3 | Nombre ______ Hora ______

Capítulo 10 | Fecha ______

Vocabulary Check, Sheet 3

Tear out this page. Write the English words on the lines. Fold the paper along the dotted line to see the correct answers so you can check your work.

gozar (de)	***to enjoy***
la injusticia	***injustice***
la libertad	***liberty***
maltratar	***to mistreat***
el maltrato	***mistreatment***
el motivo	***cause***
la niñez	***childhood***
obligar	***to force***
la paz	***peace***
el pensamiento	***thought***
la pobreza	***poverty***
la razón	***reason***
el respeto	***respect***
satisfactorio, satisfactoria	***satisfactory***
sufrir	***to suffer***
la tolerancia	***tolerance***
votar	***to vote***

Fold In

Realidades 3 | Nombre ______ Hora ______

Capítulo 10 | Fecha ______

Vocabulary Check, Sheet 4

Tear out this page. Write the Spanish words on the lines. Fold the paper along the dotted line to see the correct answers so you can check your work.

to enjoy	***gozar (de)***
injustice	***la injusticia***
liberty	***la libertad***
to mistreat	***maltratar***
mistreatment	***el maltrato***
cause	***el motivo***
childhood	***la niñez***
to force	***obligar***
peace	***la paz***
thought	***el pensamiento***
poverty	***la pobreza***
reason	***la razón***
respect	***el respeto***
satisfactory	***satisfactorio, satisfactoria***
to suffer	***sufrir***
tolerance	***la tolerancia***
to vote	***votar***

Fold In

Go Online WEB CODE jed-1002 PHSchool.com

La voz pasiva: *ser* + participio pasado (p. 444)

- In a sentence written in the *active voice*, the subject performs the action.
  El gobierno estudiantil *organizó* el evento.
  The student government organized the event.
- In a sentence written in the *passive voice*, the subject does not *perform* the action, but rather has the action "done to it" or receives the action.
  El evento *fue organizado por* el gobierno estudiantil.
  The event was organized by the student government.
- The passive voice is formed by using the verb **ser** + the past participle of another verb. Note how the past participle functions as an adjective, modifying the subject of the verb **ser**. As an adjective, it must agree in number and gender with the subject.
  Las clases son planeadas por la maestra.
  The classes are planned by the teacher.
  El texto fue leído por todos los estudiantes.
  The article was read by all the students.

A. Read each of the following statements and decide if it is active voice or passive voice. Write an **A** in the space for **voz *activa*** or a **P** for **voz *pasiva***. Follow the model.

Modelo _P_ El pastel fue decorado por el cocinero.

1. _A_ El director registró los armarios.
2. _P_ Los derechos fueron respetados por todos los estudiantes.
3. _P_ Las leyes fueron aplicadas de una manera justa.
4. _A_ La estudiante pidió permiso para usar el carro.
5. _P_ La lista de derechos fue creada por los adolescentes.

B. Circle the correct form of **ser** (**fue** or **fueron**) in the sentences below. Then, write the correct ending of the past participle (**o**, **a**, **os**, or **as**) in the blank. Make sure the subject and participle of each sentence agree in number and gender. Follow the model.

Modelo La celebración (**(fue)** / **fueron**) organizad_a_ por el club de español.

1. Las leyes (**fue** / **(fueron)**) establecid_as_ por los líderes del país.
2. El presidente estudiantil (**(fue)** / **fueron**) elegid_o_ por los estudiantes.
3. Los abusos (**fue** / **(fueron)**) criticad_os_ por toda la gente justa.
4. La injusticia (**(fue)** / **fueron**) sufrid_a_ por los padres de la adolescente.
5. La lista (**(fue)** / **fueron**) hech_a_ por mamá.

La voz pasiva: *ser* + participio pasado (*continued*)

C. Underline the subject of each sentence. Then, write the correct preterite form of **ser** and the correct form of the past participle of the verb in parentheses. Follow the model. Remember to check number and gender agreement.

Modelo (aceptar) Las reglas _fueron_ _aceptadas_ por todas las personas en la reunión.

1. (resolver) Los conflictos _fueron_ _resueltos_ por todos los miembros de la familia.
2. (establecer) El horario _fue_ _establecido_ por los padres.
3. (eliminar) La discriminación _fue_ _eliminada_ en la escuela.
4. (tomar) Las decisiones _fueron_ _tomadas_ por los miembros de la administración.
5. (escribir) Los documentos _fueron_ _escritos_ por los consejeros.
6. (cancelar) La reunión _fue_ _cancelada_ por el director porque nevaba.

- The passive voice can also be expressed by using the *impersonal se*. You often use the *impersonal se* when the person or thing who does the action is unknown. In these types of sentences, the verb usually comes before the subject. When the subject is an infinitive, the singular verb form is used.
  Se prohíbe la discriminación. *Discrimination is prohibited*
  Se respetan los derechos. *Rights are respected.*

D. Underline the subject of each sentence. Use the verb in parentheses to complete the sentence using the passive voice. Include the pronoun **se** with the correct third person form of the verb.

Modelo (necesitar) _Se_ _necesita_ una discusión para resolver los conflictos.

1. (registrar) _Se_ _registran_ los armarios una vez por mes.
2. (querer) _Se_ _quiere_ igualdad entre todos los estudiantes.
3. (poder) _Se_ _puede_ votar en las elecciones.
4. (respetar) _Se_ _respeta_ la autoridad de los maestros.
5. (deber) _Se_ _debe_ seguir el código de vestimenta.
6. (aplicar) _Se_ _aplican_ las leyes en esta situación.

El presente y el imperfecto del subjuntivo (p. 445)

- Use the *present subjunctive* or the *present perfect subjunctive* after "**que**" when the first verb is in the:

Present	***Espero** que tú **hayas recibido** una educación gratuita.*
Command form	***Dígales** que no **discriminen**.*
Present perfect	***Hemos exigido** que ellos **sean** justos.*
Future	***Será** excelente que nosotros **resolvamos** el conflicto.*

A. Circle the first verb of each sentence. On the line next to the sentence, write a **P** if that verb is in the present, **C** if it is a command, **PP** if it is in the present perfect and **F** if it is in the future. Then, underline the subjunctive verb.

Modelo *P* Me alegro de que todos participen en la vida de la escuela.

1. **C** Recomiéndenle que vaya a la reunión este viernes.
2. **F** Mis padres estarán felices con tal de que les diga adónde voy.
3. **P** Busco un horario que sea flexible.
4. **PP** Hemos dudado que esa ley sea justa.

B. Circle the first verb in each sentence. Then, conjugate the verbs in the correct form of the present subjunctive to complete the sentences. Follow the model.

Modelo (venir) Será necesario que todos los estudiantes *vengan* a la reunión.

1. (participar) He esperado que Uds. ***participen*** en la lucha por la igualdad.
2. (compartir) Dile al profesor que ***comparta*** esta información con sus estudiantes.
3. (apoyar) No hay nadie aquí que ***apoye*** los abusos del poder.
4. (haber) Este programa no funcionará bien a menos que ***haya*** fondos adecuados.

El presente y el imperfecto del subjuntivo (*continued*)

- Use the *imperfect subjunctive* after **que** when the first verb is in the:

Verb Tense	Main Clause
Preterite	***Recomendé** que ellos **siguieran** las reglas del club.*
Imperfect	***Dudábamos** que él **gozara** de libertad de expresión.*
Pluperfect	*El profesor **había querido** que los estudiantes **se respetaran**.*
Conditional	***Sería** fantástico que **se eliminara** por completo la discriminación.*

C. Underline the first verb in each sentence and determine whether the following verb will be present subjunctive or imperfect subjunctive. Circle your choice to complete each sentence. Follow the model.

Modelo Era importante que los profesores siempre (**respeten** / **respetaran**) a los estudiantes.

1. No creo que (**sea** / **fuera**) justo discriminar por razones de raza, nacionalidad o sexo.
2. Buscaremos un trabajo que (**tenga** / **tuviera**) un ambiente de paz y tolerancia.
3. El profesor recomendó que nosotros (**pensemos** / **pensáramos**) libremente.
4. Yo dudaba que (**haya** / **hubiera**) una solución fácil al problema de la pobreza.
5. Fue terrible que tantas personas (**sufran** / **sufrieran**) maltratos y abusos por razones de su nacionalidad.

D. Conjugate the verbs in the appropriate form of the imperfect subjunctive.

Modelo (vivir) Era triste que tantas personas *vivieran* en un estado de pobreza.

1. (establecer) Nosotros habíamos sugerido que el comité ***estableciera*** unas reglas nuevas.
2. (ser) Me gustaría que la educación universitaria ***fuera*** gratuita.
3. (respetar) El policía dudaba que el criminal ***respetara*** su autoridad.
4. (ir) Me gustaría que nosotras ***fuéramos*** a la manifestación.
5. (discriminar) Queríamos unas leyes que no ***discriminaran***.

Vocabulary Flash Cards, Sheet 6

Write the Spanish vocabulary word below each picture. If there is a word or phrase, copy it in the space provided. Be sure to include the article for each noun.

el *jurado*	*el/la* *testigo*	*la* *prensa*
a medida que — *a* *medida* *que*	**acusado, acusada** — *acusado*, *acusada*	**ante** — *ante*
asegurar — *asegurar*	**la aspiración** — *la* *aspiración*	**el castigo** — *el* *castigo*

Vocabulary Flash Cards, Sheet 7

Copy the word or phrase in the space provided. Be sure to include the article for each noun.

culpable — *culpable*	**de modo que** — *de* *modo* *que*	**democrático, democrática** — *democrático*, *democrática*
el desempleo — *el* *desempleo*	**la desigualdad** — *la* *desigualdad*	**detener** — *detener*
en lugar de — *en* *lugar* *de*	**la falta de** — *la* *falta* *de*	**el fin** — *el* *fin*

Realidades 3 | Capítulo 10

Nombre ____ Hora ____

Fecha ____ **Vocabulary Flash Cards, Sheet 8**

Copy the word or phrase in the space provided. Be sure to include the article for each noun.

fundamental *fundamental*	**la garantía** *la* *garantía*	**la igualdad** *la* *igualdad*
inocente *inocente*	**intercambiar** *intercambiar*	**el juicio** *el* *juicio*
juzgar *juzgar*	**llegar a** *llegar* *a*	**el modo** *el* *modo*

Realidades 3 | Capítulo 10

Nombre ____ Hora ____

Fecha ____ **Vocabulary Flash Cards, Sheet 9**

Copy the word or phrase in the space provided. Be sure to include the article for each noun.

opinar *opinar*	**pacífico, pacífica** *pacífico*, *pacífica*	**proponer** *proponer*
la propuesta *la* *propuesta*	**el punto de vista** *el* *punto* *de* *vista*	**sospechoso, sospechosa** *sospechoso*, *sospechosa*
tratar *tratar*	**el valor** *el* *valor*	**violar** *violar*

Realidades 3 Nombre ______ Hora ______

Capítulo 10 Fecha ______ **Vocabulary Check, Sheet 5**

Tear out this page. Write the English words on the lines. Fold the paper along the dotted line to see the correct answers so you can check your work.

el acusado, la acusada	***accused, defendant***
ante	***before***
asegurar	***to assure***
el castigo	***punishment***
culpable	***guilty***
la desigualdad	***inequality***
el desempleo	***unemployment***
detener	***to detain***
en lugar de	***instead of***
la falta de	***lack of***
el fin	***purpose***
fundamental	***fundamental, vital***
la garantía	***guarantee***
la igualdad	***equality***
inocente	***innocent***
intercambiar	***to exchange***
el juicio	***judgement***

Fold In

Realidades 3 Nombre ______ Hora ______

Capítulo 10 Fecha ______ **Vocabulary Check, Sheet 6**

Tear out this page. Write the Spanish words on the lines. Fold the paper along the dotted line to see the correct answers so you can check your work.

accused, defendant	***el acusado, la acusada***
before	***ante***
to assure	***asegurar***
punishment	***el castigo***
guilty	***culpable***
inequality	***la desigualdad***
unemployment	***el desempleo***
to detain	***detener***
instead of	***en lugar de***
lack of	***la falta de***
purpose	***el fin***
fundamental, vital	***fundamental***
guarantee	***la garantía***
equality	***la igualdad***
innocent	***inocente***
to exchange	***intercambiar***
judgement	***el juicio***

Fold In

Realidades 3 Nombre ______ Hora ______

Capítulo 10 Fecha ______ **Vocabulary Check, Sheet 7**

Tear out this page. Write the English words on the lines. Fold the paper along the dotted line to see the correct answers so you can check your work.

el jurado	***jury***
la justicia	***justice***
juzgar	***to judge***
llegar a	***to reach, to get to***
el modo	***the way***
mundial	***worldwide***
opinar	***to think***
pacífico, pacífica	***peaceful***
la prensa	***the press***
proponer	***to propose, to suggest***
la propuesta	***proposal***
el punto de vista	***point of view***
sospechoso, sospechosa	***suspicious***
el/la testigo	***witness***
tratar	***to treat***
el valor	***value***
violar	***to violate***

Fold In

Realidades 3 Nombre ______ Hora ______

Capítulo 10 Fecha ______ **Vocabulary Check, Sheet 8**

Tear out this page. Write the Spanish words on the lines. Fold the paper along the dotted line to see the correct answers so you can check your work.

jury	***el jurado***
justice	***la justicia***
to judge	***juzgar***
to reach, to get to	***llegar a***
the way	***el modo***
worldwide	***mundial***
to think	***opinar***
peaceful	***pacífico, pacífica***
the press	***la prensa***
to propose, to suggest	***proponer***
proposal	***la propuesta***
point of view	***el punto de vista***
suspicious	***sospechoso, sospechosa***
witness	***el/la testigo***
to treat	***tratar***
value	***el valor***
to violate	***violar***

Fold In

Go Online WEB CODE jed-1006 PHSchool.com

El pluscuamperfecto del subjuntivo (p. 456)

- The *pluperfect subjunctive* is used when describing actions in the past, when one action takes place before the other. In the following sentences, note that the first verb is in the preterite or imperfect and the verb after **que** is in the pluperfect subjunctive.

  Yo me alegré de que el juicio *hubiera terminado.*
  I was happy the trial had ended.

  Nosotros esperábamos que los estudiantes *hubieran hecho* la propuesta.
  We hoped the students had made *the proposal.*

  To form the pluperfect subjunctive, use the imperfect subjunctive of **haber** plus the past participle of another verb. Here are the imperfect subjunctive forms of the verb **haber**:

  hubiera, hubieras, hubiera, hubiéramos, hubierais, hubieran

A. Underline the first verb in each sentence. Then, circle the correct form of the pluperfect subjunctive to complete the sentence.

Modelo Fue una lástima que el ladrón (**hubieras cometido** / **hubiera cometido**) el crimen.

1. El abogado dudaba que los testigos (**hubiera dicho** / **hubieran dicho**) la verdad.
2. Nosotros habíamos dudado que el acusado (**hubiera sido** / **hubieran sido**) un niño pacífico.
3. No había ningún testigo que (**hubiera participado** / **hubieras participado**) en un juicio antes.
4. ¿El juez no creía que tú (**hubiera conocido** / **hubieras conocido**) al acusado antes?

B. Complete each of the following sentences with the pluperfect subjunctive by using the correct form of **haber** with the past participle of the verb in parentheses.

Modelo (estudiar) La profesora dudaba que sus estudiantes *hubieran* *estudiado* durante el verano.

1. (hablar) El presidente se alegró de que los líderes mundiales ***hubieran*** ***hablado*** de los problemas internacionales
2. (ver) No había nadie que no ***hubiera*** ***visto*** la contaminación ambiental en la ciudad.
3. (subir) Era una lástima que el nivel de desempleo ***hubiera*** ***subido*** .
4. (lograr) A tus padres no les sorprendió que tú ***hubieras*** ***logrado*** tus aspiraciones.

Go Online WEB CODE jed-1007 PHSchool.com

- The *pluperfect subjunctive* can also be used when the first verb is in the conditional tense.

  *Yo **me alegraría** de que ellos hubieran intercambiado sus ideas.*

C. In each of the following sentences, underline the verb in the conditional tense and then complete the sentence with the pluperfect subjunctive of the verb in parentheses. Follow the model.

Modelo (experimentar) Sería una lástima que los jóvenes *hubieran* *experimentado* desigualdad social.

1. (tener) Me gustaría mucho que mis padres ***hubieran*** ***tenido*** las mismas aspiraciones que yo.
2. (desaparecer) Sería terrible que las oportunidades ***hubieran*** ***desaparecido*** .
3. (violar) No creería que tú ***hubieras*** ***violado*** la ley.
4. (poder) Sería excelente que nosotros ***hubieramos*** ***podido*** ver un juicio verdadero.
5. (ver) No habría nadie que no ***hubiera*** ***visto*** algo sospechoso.

The expression **como si** (*as if*) always refers to something that is contrary to the truth, or unreal. In Chapter 8, you saw that **como si** can be followed by the imperfect subjunctive. It can also be followed by the *pluperfect subjunctive.*

El ladrón hablaba del crimen como si no *hubiera hecho* nada serio.
The robber talked about the crime as if he hadn't done anything serious.

D. Complete the following sentences using **como si** with the appropriate form of the pluperfect subjunctive. Follow the model.

Modelo (ocurrir) El juez recordaba el juicio como si *hubiera* *ocurrido* ayer.

1. (entender) La testigo habló como si no ***hubiera*** ***entendido*** la pregunta del abogado.
2. (participar) El juicio fue tan duro que el juez sintió como si todos ***hubieran*** ***participado*** en una guerra.
3. (visitar) Jorge habló de México como si ***hubiera*** ***visitado*** el país varias veces.
4. (ver) El hombre culpable corrió como si ***hubiera*** ***visto*** un fantasma.
5. (correr) Después de tanto trabajo, nosotros sentíamos como si ***hubiéramos*** ***corrido*** en un maratón.

Go Online WEB CODE jed-1007 PHSchool.com

El condicional perfecto (p. 459)

- The conditional perfect is used to talk about what *would have happened* (but didn't) in the past.

  En esa situación, yo *habría dicho* la verdad.
  In that situation, I would have told the truth.

  Nosotros no *nos habríamos portado* así. *We wouldn't have acted like that.*

  To form the conditional perfect, use the conditional form of the verb **haber** plus the past participle of another verb. Here are the conditional forms of the verb **haber:**

  habría, habrías, habría, habríamos, habríais, habrían

A. Pepe is making some statements about things he has done (present perfect) and some statements about things he would have done (conditional perfect), if he had studied abroad in Mexico. Mark the column labeled **Sí** if it is something he actually did, and **No** if it is something he didn't *actually* do, but would have done.

	Sí	No
Modelos He comido enchiladas en la cena.	X	
Habría ido a la playa mucho.		X
1. Habría visitado el Zócalo.		X
2. He visto un partido del equipo de fútbol mexicano.	X	
3. Mis amigos y yo hemos ido al mercado.	X	
4. Habría ido a ver las pirámides aztecas.		X
5. Habría conocido al presidente de México.		X

B. Complete each of the following sentences about what you and others would have done if school had been canceled today with the correct forms of the conditional perfect.

Modelo (nadar) Mis amigas Lola y Rafaela *habrían* *nadado* en la piscina de la comunidad.

1. (terminar) Yo ***habría*** ***terminado*** mi proyecto de filosofía.
2. (dormir) Nosotros ***habríamos*** ***dormido*** hasta las diez.
3. (leer) La profesora ***habría*** ***leído*** un libro de Gabriel García Márquez.
4. (jugar) Mis hermanos menores ***habrían*** ***jugado*** al fútbol.
5. (ver) Yo ***habría*** ***visto*** un juicio en la tele.

- To talk about what might have been if cirumstances had been different, you can use a **si** clause. In these sentences, you use the pluperfect subjunctive and the conditional perfect together.

  Si yo *hubiera visto* el crimen, *habría llamado* a la policía.
  If I had seen the crime, I would have called the police.

  Si nosotros no *hubiéramos hablado* del conflicto, no *habríamos encontrado* una solución.
  If we had not talked about the conflict, we would not have found a solution.

C. In each sentence below, underline the verb in the pluperfect subjunctive and complete the sentence with the conditional perfect of the verb in parentheses. Follow the model.

Modelo (decir) Si ellos no hubieran estudiado política, no *habrían* *entendido* lo que dijo el presidente.

1. (agradecer) Si yo hubiera conocido a Martin Luther King, Jr., le ***habría*** ***agradecido*** su trabajo para eliminar la discriminación.
2. (tener) Si tú hubieras hecho un esfuerzo, ***habrías*** ***tenido*** más oportunidades.
3. (poder) Si no hubiera nevado, los testigos ***habrían*** ***podido*** llegar a la corte a tiempo.
4. (recibir) Si el acusado hubiera dicho la verdad. ***habría*** ***recibido*** una sentencia menos fuerte.

D. Form complete sentences by conjugating the infinitives in the pluperfect subjunctive and conditional perfect. Follow the model.

Modelo Si / yo / tomar / esa clase / aprender / mucho más
Si yo hubiera tomado esa clase, habría aprendido mucho más.

1. Si / tú / venir / a la reunion / entender / el conflicto
   Si tú hubieras venido a la reunión, habrías entendido el conflicto.
2. Si / yo / experimentar discriminación / quejarse / al director
   Si yo hubiera experimentado discriminación, me habría quejado al director.
3. Si / ellas / tener más derechos / ser / más pacíficos
   Si ellas hubieran tenido más derechos, habrían sido más pacíficas.
4. Si / tú / votar / en las últimas elecciones / cambiar / el resultado
   Si tú hubieras votado en las ultimas elecciones, habrías cambiado el resultado.

Realidades 3 Nombre ____ Hora ____

Capítulo 10 Fecha ____ **Reading Activities, Sheet 1**

Puente a la cultura (pp. 462–463)

A. The reading in your textbook is about heroes. Think about what being a hero means to you. Write three characteristics of a hero in spaces below.

1. ***Answers will vary. Possible answers include: courage to fight through adversity or against tyranny, leadership in such a role, strength to prevail***
2. ***or to help the less fortunate, uncommon skill that helps him prevail, an ideal for others to strive toward***
3. ____

B. When you encounter unfamiliar words in a reading, a good strategy is to look at the context for clues. The word **o** ("or") is often used to introduce a definition to a new or difficult word.

Look at the following excerpts from the reading and circle the definitions for the highlighted words.

1. *«Este territorio tenía aproximadamente 17 millones de habitantes y estaba dividido en cuatro* ***virreinatos****, o (unidades políticas)»*
2. *« Al sentir que la monarquía estaba débil, los* ***criollos****, o (hijos de españoles nacidos en América) se rebelaron contra la Corona, iniciando así un movimiento de independencia...»*

C. In the reading, you learn about 3 different heroes. Write a **B** next to the following characteristics if they apply to Simón Bolivar, an **M** if they apply to José Martí, or an **H** if they apply to Miguel Hidalgo.

1. ***H*** Llamó al pueblo mexicano a luchar durante un sermón.
2. ***B*** Fue presidente de la República de la Gran Colombia.
3. ***M*** Era un gran poeta.
4. ***M*** Fue a prisión por lo que escribió contra las autoridades españolas.
5. ***B*** Quería crear una gran patria de países latinos.
6. ***H*** Motivó a la gente indígena a participar en la lucha por la independencia.

D. Which of the three countries mentioned in the reading actually gained independence from Spain first?

a. México (b.) Bolivia c. Cuba

Realidades 3 Nombre ____ Hora ____

Capítulo 10 Fecha ____ **Reading Activities, Sheet 2**

Lectura (pp. 468–470)

A. In this article, you will read about some of the responsibilities the narrator has outside of school. Take a minute to think about your responsibilities and obligations outside of school (to family, sports teams, etc.) Write two of your responsibilities on the lines below.

1. ***Answers will vary. Students may mention things like cleaning their rooms, doing household chores, showing up for sports practices and games, etc.***
2. ____

B. Look at the excerpt from the reading in your textbook. What word or words are synonyms for each of the highlighted words?

> *«...nosotros teníamos una vivienda que consistía en* ***una pieza*** *pequeñita donde no teníamos patio y no teníamos dónde ni con quiénes dejar a* ***las wawas****. Entonces, consultamos al director de la escuela y él dio permiso para llevar a mis hermanitas conmigo.»*

C. Read the following excerpt carefully and put an **X** next to the tasks for which the narrator was responsible.

> *Salía de la escuela, tenía que cargarme la niñita, nos íbamos a la casa y tenía yo que cocinar, lavar, planchar, atender a las wawas. Me parecía muy difícil todo eso. ¡Yo deseaba tanto jugar! Y tantas otras cosas deseaba, como cualquier niña.*

1. ____ trabajar en la mina
2. ***X*** llevar a sus hermanas a la escuela con ella
3. ____ dar de comer a los animales
4. ***X*** limpiar la casa
5. ***X*** preparar la comida

Realidades 3 Nombre ________ Hora ________

Capítulo 10 Fecha ________ **Reading Activities, Sheet 3**

D. Use the following sentences to help you locate key information in the reading. The sentences are in order. Circle the choice that completes them with correct information about the story.

1. La narradora empezó a ir a la escuela sola porque (**sus hermanas tenían que trabajar** / **su profesora dijo que sus hermanas metían bulla**).
2. El papá de la hija quería que (**ella se graduara de la universidad** / **ella dejara de asistir a la escuela**).
3. Los problemas y la pobreza de la familia obligaron a los padres de la narradora a tener una actitud muy (**antipática** / **generosa**) hacia otras personas.
4. La narradora sufría castigos en la escuela porque (**no traía sus materiales a la escuela** / **no hacía su tarea**).
5. Cuando el profesor de la narradora le pidió que le contara lo que pasaba, ella (**le dijo la verdad** / **le mintió**).
6. La narradora tenía tantas responsabilidades porque (**su mamá había muerto** / **a su mamá no le gustaba trabajar**).
7. El padre de la narradora estaba (**muy enojado porque no tenía un hijo varón** / **muy orgulloso de sus hijas**).

E. Now look back at the opening line from the reading. Based on what you read after this, and using the excerpt below as a reference, answer the following questions.

> *«Bueno, en el 54 me fue difícil regresar a la escuela después de las vacaciones...»*

1. Who is the narrator? Is this a fictional tale? Explain.

   The narrator is a young Domitilia Barrios Chugara. The reading is not fictional, but autobiographical, based on the experiences of Domitilia, the main character.

2. What is the tone of the reading? Is the author formal or informal? Explain.

   Answers will vary. The tone is conversational, very informal. The first line is very casual, matter-of-fact speech.

3. How would you describe the main character of the book? Use adjectives and specific instances in the reading to support your answer.

   Answers will vary. The main character is strong, hard-working, optimistic, studious, goal-oriented, generous. Students can use a number of different examples to support these.